DU BOIS POUR LES CERCUEILS

Claude Ragon

Du bois
pour les cercueils

Fayard

L'éditeur remercie Jacques Mazel pour sa contribution.

ISBN : 978-2-213-65470-6

Couverture :
Atelier Didier Thimonier – Photo © plainpicture/Johner/Per Eriksson

Le Prix du Quai des Orfèvres a été décerné sur manuscrit anonyme par un jury présidé par Monsieur Christian Flaesch, Directeur de la Police judiciaire, au 36, quai des Orfèvres. Il est proclamé par M. le Préfet de Police.

Novembre 2010

À Maya, pour sa patience
et sa compréhension.

Au commissaire Marcel Gaden,
contrôleur général honoraire
de la Police nationale,
pour ses conseils pertinents.

Aux compagnons de l'industrie du bois
qui œuvrent de façon anonyme
dans des conditions difficiles.

Chapitre Un

– Bruchet ! Le patron veut te voir.

Le lieutenant Quentin Bruchet ne se fit pas répéter l'invitation et se dirigea aussitôt vers le bureau du commissaire Gradenne. Arrivé seulement depuis trois mois, il n'avait pas encore eu l'occasion de participer à une enquête intéressante à défaut d'être passionnante. Son travail avait jusque-là consisté principalement à recevoir des dépositions et à rédiger des rapports relatifs à de petites et banales activités délictueuses. Après plusieurs années de carrière dans la police, il venait enfin d'accéder à la mythique PJ, au détachement de Besançon, en rêvant d'enquêtes à la « Sherlock Holmes ». En homme désireux d'action, il avait hâte d'aller « sur le terrain », lassé de n'être utilisé qu'à des tâches administratives, déçu que l'horizon de

sa carrière défile derrière un écran
d'ordinateur.

Sa promotion récente correspondait
aussi à une restructuration du service
qui n'avait pas favorisé les occasions de
nouer des relations entre les équipes.
Celles-ci étaient en voie de constitution,
et chacun cherchait ses marques. Seul
un ancien, le capitaine Maurice Ledran,
ne semblait pas se soucier de la réorgani-
sation et restait un peu en retrait, observant les nouveaux d'un œil curieux mais
bienveillant.

Bruchet se sentait particulièrement
esseulé, et cela ne contribuait pas à lui
remonter le moral. Cet été, il avait fait la
connaissance de Chloé Nartier, étu-
diante préparant un CAPES d'anglais.
Mais la jeune femme avait obtenu pour
un an un poste de lectrice à l'Université
de Manchester. Quentin avait alors été
satisfait d'être nommé à la PJ, même s'il
ne s'agissait pas bien sûr du célèbre
Quai des orfèvres. Il espérait ainsi que
l'intérêt de ses nouvelles responsabilités
lui ferait supporter la rigueur du climat
et l'absence temporaire de Chloé. Il
ouvrait chaque jour fébrilement sa boîte

à lettres dans l'espoir d'y trouver une enveloppe timbrée à l'effigie d'Elizabeth II.

Mais, trêve de considérations sentimentales, la priorité était de rejoindre le bureau du commissaire Gradenne avec l'espoir de se voir confier enfin une mission valorisante.

– Entrez, Bruchet, asseyez-vous ! Je vais avoir besoin de vous. Vous n'avez rien d'important en cours en ce moment, si j'ai bien compris ?

Le commissaire poursuivit sans laisser au jeune policier le temps de répondre. La question avait été posée pour la forme, sa décision était déjà prise.

– Bon ! Voilà de quoi il s'agit. Nous allons partir pour Berthonex. Vous connaissez ?

– Non !...

– Moi non plus ! Tout ce que j'en sais, c'est que c'est un petit bled perdu dans le sud du Doubs, pas très loin de la forêt de la Joux. Cette bourgade compte de mille à quinze cents habitants, avec pour activités économiques, de l'agriculture – surtout de l'élevage –, un peu d'artisanat et,

principalement, une usine de transformation de bois.

Le commissaire Gradenne chaussa ses
lunettes.

– Ah ! Voilà. J'avais oublié le nom de la
boîte : *Polybois*. Pour autant que je sache
vraiment, cette entreprise récupère tous
les déchets des scieries des alentours, et
les transforme en produits divers. Avec
toutes les forêts du coin, ils ne doivent
pas manquer de matière première.

– Qu'allons-nous faire là-bas ?

– Bonne question ! J'allais y venir. Je
voulais d'abord voir votre réaction à la
perspective d'aller vous enterrer en plein
mois de janvier au cœur des forêts du
Jura. Vous n'avez pas bronché ! J'en
connais plus d'un qui aurait fait la grimace. Vous êtes en forme, au moins ?

Et sans attendre la réponse de Bruchet
sur son état de santé, il poursuivit :

– Parce que j'ai déjà deux enquêteurs
au tapis pour bronchite ou je ne sais
quoi, il me faut donc quelqu'un de résis-
tant.

– Pas de problème, commissaire.

Bruchet se demanda au passage s'il
n'héritait pas de cette mission parce que

d'autres avaient traîné les pieds ou parce qu'il était le seul à rester disponible. Peu importe ! Si c'était un bizutage, il l'acceptait volontiers et il sourit intérieurement, comme il aurait supporté n'importe quoi pour échapper à la routine administrative.

Gradenne se leva et vint s'asseoir dans le fauteuil placé à côté du lieutenant, de l'autre côté du bureau.

– Depuis votre arrivée dans le service, nous n'avons guère eu le temps de bavarder. Ce déplacement sera une occasion pour nous de faire connaissance. Et puis, pour ne rien vous cacher, je n'aime guère conduire, surtout en cette saison. Mais rassurez-vous, je ne vous prends pas comme simple chauffeur. Il me faut un bon flic pour me seconder. J'ai bien peur que cette enquête ne soit pas évidente. C'est pourquoi j'ai besoin d'un œil neuf et jeune, celui de quelqu'un qui ne serait pas encore trop déformé par la paperasse...

Il avait fini sa phrase en regardant Bruchet, un sourire au coin des lèvres. Cette expression suffisait à répondre aux questions que le jeune policier se posait.

Non, il ne serait pas « simple » chauffeur et il pouvait désormais se féliciter que son supérieur n'ait pas de tendresse particulière pour les formalités officielles. Il n'était pas dupe non plus du petit coup de brosse à reluire de son patron. Celui-ci n'avait aucune raison de le qualifier de « *bon flic* » puisqu'il n'avait encore rien fait qui puisse justifier cette appréciation. Cette flatterie devait-elle cacher des désagréments en perspective ?

– Pourquoi ce déplacement ?

Gradenne soupira, se passa la main sur le front puis se frotta les yeux.

– Le directeur de *Polybois* a été retrouvé mort en pleine nuit dans son usine. Après une enquête classique, la brigade de gendarmerie locale, basée à Crampigny juste à côté de Berthonex, a conclu assez rapidement à un accident. L'affaire en serait sans doute restée là, mais…

Gradenne s'interrompit et fit une petite grimace signifiant que le cas commençait à devenir délicat.

– Mais… ?

– Mais le procureur a reçu une lettre anonyme plutôt troublante. D'ordinaire, on n'en tient pas compte, mais celle-ci a suffi à entretenir un doute dans son esprit au point de justifier un complément de recherche. Voilà pourquoi nous devons entreprendre une enquête préliminaire sur ce qui est un accident jusqu'à preuve du contraire.

– Vous avez cette lettre ?

– Oui, j'en ai gardé la copie. La voici.

Le commissaire se leva et lui montra une feuille tirée du dossier. Le texte était écrit d'une main malhabile.

Monsieur le Procureur,

Les aparances sont souvent tronpeuses. De fauses évidences peuve cacher la vérité. Bernard Verdoux a-t-il vraiment été victime d'un accident ? En avé-vous la preuve absolu ? iréfutable ?

Saviez-vous que Verdoux n'avai pas que des amis ?

Permetez-moi de rester inconu car il y va de ma sécurité.

Bruchet tourna vers le commissaire un regard surpris.

– On peut penser que ce ne sont pas les seules fautes d'orthographe qui ont fait hésiter le procureur à classer le dossier comme la gendarmerie le lui suggérait. Il a profité de cette lettre pour ordonner de nouvelles investigations et poursuivre « l'enquête sur les causes de la mort ».

Bruchet relut la lettre attentivement.

– C'est curieux... Ces fautes sont tellement nombreuses et grossières qu'elles ne collent ni avec le style ni avec le ton.

– J'ai eu le même sentiment. Mais on ne peut s'en tenir aux impressions, seulement aux faits et rien qu'aux faits. Il semblerait que quelqu'un – quel qu'il soit – ait un avis différent de celui des gendarmes. Si nous parvenons déjà à identifier l'auteur de la lettre, nous tiendrons un début de piste.

– Pensez-vous que l'enquête des gendarmes ait pu être un peu hâtive ? demanda un Bruchet surpris de son audace.

Gradenne ne put réprimer un sourire.

– Je n'en sais rien... faute d'éléments pour porter une appréciation. J'ai des souvenirs d'excellentes coopérations avec la gendarmerie. Nous verrons bien sur place de quoi il retourne. Avec la susceptibilité des militaires, il faut toujours agir avec tact. Je n'irai certainement pas les voir en les regardant de haut, avec l'air de leur dire : « *Poussez-vous de là, les gars, je vais vous montrer comment on conduit une enquête* ». Ce serait le meilleur moyen de les braquer et de nous couper de leurs précieuses informations locales. Et tout compte fait, je ne suis pas sûr de faire mieux qu'eux...

– Je constate cependant que le procureur s'adresse à la PJ pour reprendre l'enquête.

Le commissaire expliqua calmement à Bruchet que le procureur pouvait difficilement demander *ex abrupto* aux gendarmes de revoir leur copie. Lorsqu'un œil neuf est devenu nécessaire, il s'est adressé en toute logique à la section criminelle du SRPJ de Dijon qui a aussitôt confié l'affaire à Besançon.

– Quand a eu lieu ce soi-disant accident ? demanda Bruchet.

– La semaine dernière. Le corps a été retrouvé dans la nuit de mercredi à jeudi. La « maréchaussée » s'est rendue sur place immédiatement et a transmis son rapport au procureur, vendredi soir.

– C'est du rapide..., un peu rapide, non ?...

– C'est vrai, mais pour un accident, cela n'a rien d'exceptionnel. La question est de savoir s'il s'agit vraiment d'un accident. Ensuite, nous aviserons. Le procureur m'a appelé chez moi hier soir tard. Nous avons discuté un bon moment...

– Vous le connaissez ?

– Oui, nous sommes de « vieilles » connaissances. Nous avons déjà travaillé sur de nombreuses affaires. Il a bien conscience que notre tâche ne va pas être simple. Nous sommes aujourd'hui mardi et les événements remontent à une petite semaine...

– De nombreux indices auront été perdus !

– En effet, ce ne sont pas les conditions idéales pour une enquête, je vous l'accorde, mais il faudra faire avec. Bon ! En route ! Vous avez une heure pour faire votre valise. N'oubliez pas un ou deux pulls bien chauds. Je vous raconterai en chemin la suite de ce que je sais.

– À votre avis, combien de temps resterons-nous là-bas ?

– Si je le savais... Faites comme si nous devions y passer une semaine, et prenez un peu de linge en conséquence.

Enfin un peu d'action ! Quelque chose qui ressemblait à une enquête. Quentin Bruchet sentait confusément que ce déplacement avec son commissaire prenait les allures d'une mise à l'épreuve mais tant pis ! Il était porté par l'enthousiasme au point d'en oublier le froid, l'isolement et les tracas qui l'attendaient.

Une heure plus tard, les deux hommes roulaient vers Berthonex. Bruchet conduisait avec précaution la Laguna bleu marine du patron. Avec sa chapka sur la tête, celui-ci avait vaguement l'air d'un membre du KGB. C'est l'impression que ressentit son chauffeur d'un jour en le voyant. Mais il n'était pas encore assez familier avec lui pour se permettre la moindre plaisanterie.

– J'ai pris la copie de la lettre avec moi, au cas où…, dit Gradenne.

– Je suppose que vous avez transmis l'original à un graphologue.

– C'est cela. Nous en tirerons peut-être des informations intéressantes. Avec une lettre anonyme manuscrite, nous disposons de quelque chose de plus significatif qu'un assemblage de mots et de caractères découpés dans un journal. En arrivant à Berthonex, avant de nous mettre au boulot de notre côté, nous devons commencer par une visite de courtoisie aux gendarmes de Crampigny. Puis nous irons repérer cette fameuse usine. Enfin, nous prendrons nos quartiers. Ma secrétaire nous a réservé des chambres à l'hôtel du Grand Tétras à Citraize. C'est là que nous établirons notre QG. Si je ne m'abuse, ce village est proche et de Crampigny et de Berthonex. Cela vous convient ?

– Parfaitement, répondit Quentin, pour qui ce détail n'avait pas de réel intérêt.

– À présent, je vais vous dire tout ce que je sais, c'est-à-dire assez peu en réalité. Le directeur de l'usine *Polybois*, dont le décès brutal nous donne l'occasion de découvrir Berthonex, se nomme, ou plutôt se nommait, Bernard Verdoux. Il était en poste depuis environ deux ans. D'après ce que j'ai compris, sa tête a été écrasée par une presse. Ne me demandez pas encore comment c'est arrivé, c'est ce que nous devrons découvrir.

Gradenne éternua et se moucha longuement.

– Il ne manquerait plus que j'attrape la
crève. Ce serait le bouquet ! L'effectif du
service est suffisamment réduit comme
ça ! Il faut que je vous dise autre chose
au sujet de la victime. En tant que directeur de l'usine, il était en quelque sorte
un notable local. J'ai donc demandé aux
« RG » ce qu'ils savaient de notre homme.
On doit maintenant les appeler : Direction centrale du Renseignement intérieur... Mais j'ai pris cette habitude, et
je continue à penser que les gens com-
prennent mieux. Leur réponse ne m'a
pas déçu et risque même de compliquer
un peu notre arrivée chez les militaires
de la gendarmerie...

– Vous titillez ma curiosité, commissaire... Et que vous ont appris les « RG »
comme vous dites ?

– Figurez-vous que ce monsieur Verdoux était un ancien officier qui se serait
illustré en Algérie comme lieutenant
dans les paras. Tout ce que j'ai pu savoir,
c'est qu'en 1962, il a été exfiltré discrètement des rangs pour rejoindre *Polybois*,
entreprise qui compte de nombreux

anciens militaires et particulièrement des marins. Les postes importants y sont occupés par des officiers de marine reconvertis. J'ai eu l'impression que les « RG » ne voulaient pas – ou ne pouvaient pas – m'en dire davantage, comme s'ils devaient retenir de l'information. J'ai un bon ami chez eux que je vais essayer de contacter pour en savoir un peu plus.

– Et vous pensez qu'une forme de solidarité de militaires risque de perturber notre travail ?

– Je ne sais pas encore… Mais il nous faudra redoubler de tact. La guerre d'Algérie n'a pas encore éteint toutes ses braises, et nous allons enquêter sur la mort d'un ancien militaire dans une entreprise qui en compte de nombreux. Qui plus est, nous débarquons chez d'autres « militaires » pour reprendre leur enquête… Vous voyez le tableau !

– Comment allons-nous justifier notre venue ?

– Profil bas, je vais me retrancher derrière la réquisition du procureur en laissant éventuellement entendre que cette mission ne me ravit pas, et que nous n'avons aucune raison de contester *a*

priori la conclusion de nos collègues gendarmes. Je veux surtout pouvoir prendre
librement connaissance du dossier et me
faire ma propre opinion. Ou bien nous
concluons dans leur sens, ou bien nous
découvrons un fait nouveau. Auquel cas,
le procureur décidera de la suite à donner à l'instruction de cette affaire. De
toute façon, la brigade de Crampigny a
déjà été avertie de notre arrivée. Nous
serons très vite fixés sur l'ambiance…

– Vous ne craignez pas que nos collègues gendarmes prennent ombrage de
notre ingérence et s'amusent à nous laisser patauger ?

Gradenne sourit, toussa plusieurs fois
et poursuivit :

– Non ! Je redoute plutôt la loi du
silence chez *Polybois*, genre « grande
muette ». Vous verrez, mon petit Bruchet, quand vous aurez un peu de bouteille, vous deviendrez roublard vous
aussi. Chaque fois que je suis confronté
à une organisation bien structurée, je me
prépare à rencontrer des obstacles.
J'aurai peut-être un jour l'occasion de
vous raconter certaines enquêtes menées
dans le milieu financier. Là, ce n'est pas

une loi du silence polie, mais une véritable chape de plomb ! Tout le monde y couvre tout le monde...

Un peu ému de faire équipe ainsi avec le patron, Quentin prenait prétexte de se concentrer sur la route pour éviter de poser des questions, de peur de dire une bêtise. Gradenne anima seul la conversation, évoquant les différentes affaires au cours desquelles il avait déjà collaboré avec la Gendarmerie.

Deux heures plus tard, ils arrivaient en vue de Berthonex. La route était dégagée même si les champs aux alentours restaient enneigés. Le ciel était d'un gris dense.

– Ralentissez, Bruchet, je me demande si cette grande bâtisse, là-bas, n'est pas l'usine en question.

Ils longèrent un long bâtiment en bordure de route à vocation manifestement industrielle. Au-dessus de la toiture s'élevaient de nombreuses cheminées d'une forme conique étrange, laissant échapper des émanations de vapeur. Sur la façade, *Polybois* était peint en énormes lettres rouges.

– Arrêtez-vous à l'écart, nous allons jeter un coup d'œil, ordonna doucement Gradenne.

Bruchet gara le véhicule dans un espace dégagé et coupa le moteur. La route était peu fréquentée. Un semi-remorque sortait en croisant un camion-citerne. De l'usine, leur parvenait un grondement sourd périodiquement couvert par le bruit strident de scies circulaires.

– L'endroit est sinistre, commenta Gradenne. Nous aurons assez tôt l'occasion de le visiter. Commençons par aller à l'hôtel !

Citraize était à quelques minutes. En sortant de la voiture, ils furent saisis tous les deux par le froid vif. Gradenne frissonna.

L'hôtel du Grand Tétras ne risquait pas de prétendre à trois étoiles. Encore heureux qu'il fût ouvert en plein hiver. C'était plutôt un café-restaurant qui proposait le gîte à l'occasion, principalement l'été. Les deux policiers prirent possession de chambres modestes mais relativement confortables. Le commissaire demanda que le téléphone du palier soit déplacé dans l'une des chambres. Il disposait bien d'un portable, mais il préférait un bon vieux combiné à l'ancienne.

L'aubergiste, un rondouillard dans la cinquantaine, semblait intrigué par l'arrivée des deux policiers dans ce trou perdu.

– Vous venez sans doute pour l'accident de *Polybois* ? demanda-t-il curieux, en leur apportant deux grandes tasses de café.

Bruchet fut surpris par une question aussi directe, mais il n'en laissa rien paraître. Gradenne n'avait pas plus bronché. En guise de réponse, il demanda tout aussi abruptement :

– Vous connaissiez la victime ? Que pensez-vous de cet accident ?

Déstabilisé, l'homme regretta sans doute sa curiosité.

– Moi ? Rien de spécial… ! Qu'est-ce que je pourrais bien en penser ? Vous savez, dans ce coin perdu, au milieu de nos forêts, il ne se passe jamais rien. Alors, un accident comme ça… aussi bizarre… aussi…

– Horrible ?

– Oui, c'est ça… on se pose forcément des questions…

– Comment l'avez-vous appris ?

– Oh ! très vite, le jour même. Des ouvriers de l'usine sont passés ici prendre leur jus alors que ça venait de se produire…

– Je vois… Vous ne m'avez pas dit si vous connaissiez la victime.

– Dire que je connaissais Verdoux, ce serait exagéré. Il est venu manger ici plusieurs fois avec des gens de sa boîte. Ce n'était pas quelqu'un de très causant. Il lui est même arrivé de me demander une petite salle à part pour discuter avec ses collègues…

– Je vous remercie. Nous aurons l'occasion de nous revoir. Nous dînerons ici. Vous faites bien restaurant le soir, en dehors des week-ends ?

– Pas en hiver mais, rassurez-vous, je ferai une exception pour vous. Sans vouloir me vanter, ma cuisine a une assez bonne réputation.

– À la bonne heure ! De toute façon, nous n'avons prévu de venir ici que pour dormir et j'espère que nous bouclerons l'affaire assez vite. À présent, allons voir ces messieurs en bleu !

Les deux hommes furent à nouveau surpris par le froid extérieur. Gradenne éternua plusieurs fois.

L'accueil de la gendarmerie de Crampigny les surprit favorablement. Quand le commissaire se présenta, le gendarme de garde eut un sourire de satisfaction et se retourna en disant à voix forte :

– Chef ! Nos visiteurs sont là...

Dans une petite pièce, un homme en uniforme se leva de son bureau pour les recevoir.

– Bonjour, messieurs. Soyez les bienvenus à Crampigny, je vous attendais. Je suis le chef Courtay et je remplace l'adjudant Vatrin. Vous avez mal choisi la saison pour venir nous voir. Vous semblez frigorifiés. Prendriez-vous un café ?

Et sans attendre la réponse, il s'adressa au gendarme qui était resté sur le pas de la porte :

– Tu nous apportes trois cafés, Jacques ?

– Vous ne semblez pas surpris par notre arrivée..., s'étonna le commissaire.

– J'ai été prévenu de votre visite par un message de mon chef de corps.

Courtay sourit et regarda tour à tour les deux hommes en face de lui.

– Aurais-je dû être surpris ? Je n'ai pas à commenter la décision d'un procureur. S'il estime qu'il reste des zones d'ombre dans cette affaire, et s'il pense qu'un regard extérieur peut être utile, il a sans doute ses raisons. En tout cas, je peux vous assurer de mon soutien total.

– Pour autant que je sache, reprit Gradenne, à partir des éléments dont il disposait, votre adjudant a conclu à une cause accidentelle de la mort.

– En effet, mais vous ne pourrez malheureusement pas voir l'adjudant Vatrin, actuellement hospitalisé.

– Il lui est arrivé quelque chose ?

– L'adjudant a quelques soucis de santé. Je peux d'autant moins vous en parler que j'en ignore la cause. Il doit subir des examens qui devraient l'éloigner de la brigade pendant au moins deux semaines, d'après ce qu'il m'a laissé entendre. Il est parti hier matin comme prévu depuis un mois, mais il a tenu néanmoins à mener à son terme l'enquête *Polybois* avant son départ.

Le jeune gendarme entra avec un plateau.

– Merci, Jacques. Buvez pendant que c'est chaud, messieurs.

Gradenne éternua encore puis se moucha bruyamment avant d'avaler une gorgée de café. Il articula faiblement :

– Depuis, il y a eu un fait nouveau. Le procureur a reçu un courrier de nature à semer le doute…

– Tiens donc ! Une lettre anonyme, je suppose ?

– Tout juste !

Gradenne et Bruchet échangèrent un regard discret. Pendant quelques instants, les trois hommes gardèrent le silence en s'observant. Le commissaire vida sa tasse et poursuivit :

– Nous lirons en détail les pièces du dossier, mais vous nous feriez gagner du temps en nous présentant une synthèse des faits.

– Très volontiers, et d'autant mieux que j'ai participé à cette affaire dès son début. Nous avons été alertés à cinq heures du matin. Je suis parti aussitôt avec le gendarme Dupret qui vient de nous apporter le café. L'usine était en pleine effervescence, la production arrêtée. Le spectacle était horrible à voir. Dans mon travail, j'ai vu beaucoup d'horreurs, mais franchement là, j'ai été impressionné.

– L'usine fonctionne donc la nuit ?

– Tout à fait ! Vous vous en rendrez compte sur place, mais je peux déjà vous dire un mot de son activité. On y fabrique surtout des panneaux de particules à partir de déchets de bois et de taillis divers. C'est une usine à feu continu qui ne s'arrête que quelques heures par semaine pour l'entretien et le nettoyage. Quatre équipes font les 3x8, c'est-à-dire que pendant plusieurs jours, trois équipes se relaient tandis que la quatrième est en repos. Ensuite celle-ci réintègre l'astreinte et l'une des trois autres part alors en récupération et ainsi de suite…

– C'est bien le directeur qui est mort ? Que faisait-il là en pleine nuit ? On pourrait penser qu'à cette heure-là, il n'y a que l'équipe de production dirigée par un contremaître.

Courtay soupira avec une mimique signifiant que tout n'était pas limpide.

– Vous posez là une bonne question. Nous-mêmes l'avons soulevée. Mais la réponse ne m'a pas entièrement convaincu.

– Que vous a-t-on appris ?

– Le directeur m'a été présenté comme un homme directif et autoritaire. On nous a dit qu'il s'absentait de temps en temps. Mais que, quand il était là, il se mêlait de tout, mettait son nez partout et distribuait des consignes à tout le monde.

– Quel rapport avec sa mort ?

– J'y viens. Il est entré dans l'atelier-pilote le mercredi soir vers onze heures, pour faire des essais sur un nouveau produit. Personne ne sait de quoi il s'agissait... Toujours est-il qu'il a été conduit à manipuler une presse et qu'on l'a retrouvé la tête écrasée... Ah ! C'était pas beau à voir, je vous le garantis. Tenez, jugez vous-même...

Courtay, tout en parlant, avait ouvert la sangle de la chemise posée devant lui. Il feuilleta les divers documents et tendit à Gradenne quelques clichés pris sous plusieurs angles représentant une presse de laboratoire dont les plateaux mesuraient environ un mètre de long sur quatre-vingts centimètres de large. D'entre les plateaux, dépassait le corps d'un homme dont la tête et les mains avaient été écrasées. Avec une grimace, le commissaire examina les photos et les passa au fur et à mesure à Bruchet.

– Je vous avais dit que c'était horrible, intervint le chef. Et encore… Vous n'avez ni l'odeur de chair brûlée ni l'ambiance, en pleine nuit, digne d'une mise en scène de film d'horreur.

– Je veux bien vous croire, répondit le commissaire en frissonnant. Je pense que vous n'avez pas éprouvé le besoin de faire appeler un médecin pour constater le décès…

– C'est évident. J'ai aussitôt prévenu l'adjudant qui est arrivé sur le champ avec deux hommes et nous avons procédé aux formalités d'usage.

– C'est-à-dire ?

– Ces clichés tout d'abord, puis l'audition de tous les témoins. Les principaux sont les contremaîtres des deux équipes de nuit. Il s'agit de Francis Mollex, le chef de l'équipe B qui avait pris son poste à vingt heures, et de Julien Pourtaud, le chef de l'équipe C qui a pris le relais de l'équipe B à quatre heures. C'est lui qui a découvert le corps.

– En quelles circonstances ? demanda Gradenne.

– En se rendant au labo, Pourtaud fut intrigué par une odeur étrange. Et pour cause !

– Qu'a-t-il fait alors ?

– Il s'est étonné que la porte soit verrouillée, car il voyait de la lumière à l'intérieur et il savait que Verdoux était supposé y être. Son collègue Mollex l'avait averti, lors du passage des consignes de la relève, que le patron procédait à des essais dans l'atelier-pilote. Comme il disposait des clés du labo, il tenta d'ouvrir. En vain ! En regardant par les fenêtres, il ne vit rien d'anormal. Il tambourina à la porte et, comme il n'obtenait aucune réponse, l'idée lui vint de passer un coup de fil par la ligne interne. Comme personne ne répondait, il ne lui restait plus qu'à briser une vitre de la fenêtre.

– Pourtaud était-il seul ? demanda Bruchet.

– Non. À cet instant, il était entouré de l'électricien, d'un cariste et de l'affûteur.

Tous les quatre ont eu l'émotion de leur vie, surtout Pourtaud qui est entré le premier...

Attentif et perplexe, Gradenne ne disait rien, plongé dans ses réflexions. Il éternua encore fortement ce qui sembla le réveiller d'une profonde concentration.

– N'y a-t-il pas d'autre moyen pour entrer dans ce lieu ? demanda-t-il soudain plus vif.

Le chef sourit et déposa devant lui un document tiré du dossier.

– Voyez vous-même ! Voici le plan de l'usine. La chaîne de fabrication occupe ce long bâtiment le long de la route. Derrière, il y a les ateliers de mécanique et d'électricité. Là, l'unité de transformation qui fonctionne uniquement le jour en semaine, et derrière ces deux bâtiments, des entrepôts de stockage. Le labo et l'atelier-pilote sont dans cet autre bâtiment qui touche un magasin, de l'autre côté de la cour.

Gradenne mit ses lunettes et se pencha attentivement sur le plan.

– Voici également un croquis de l'atelier-pilote, poursuivit Courtay. Le labo lui-même est constitué de deux pièces équipées d'appareils de contrôle et d'installations d'analyse. Il est en quelque sorte inclus dans l'atelier-pilote.

– Tout cela est bien étrange, murmura Gradenne.

– L'atelier-pilote, continua le chef, est un grand hall occupé par des machines pour les prototypes des futures fabrications. Là sont mis au point les nouveaux produits. Une sorte d'usine en miniature, si vous voulez. Vous comprendrez mieux sur place. Le fond du hall donne sur l'un des magasins où sont entreposées des piles de panneaux, cachant une grande porte à double battant destinée à faire entrer ou sortir des machines. Sauf cas exceptionnel, elle est toujours fermée. Impossible même de l'entrebâiller...

– Je vois, murmura Gradenne. Je suppose que l'autre porte était verrouillée de l'intérieur avec la clé dans la serrure.

– C'est bien ça.

– En résumé, reprit le commissaire entre deux éternuements, le corps a été retrouvé dans un local verrouillé de l'intérieur... C'est en effet troublant...

Comment peut-on être sûr qu'il n'y avait pas quelqu'un d'autre sur les lieux ?

Courtay hocha la tête, manifestant ainsi qu'il trouvait la question pertinente.

– Toutes les réponses sont consignées dans les dépositions. Vous pourrez les relire au calme, mais je vais vous en résumer l'essentiel. Lorsque le chef d'équipe Pourtaud comprit la gravité de l'événement, il a eu la prudence de s'entourer de témoins, les trois personnes que je vous ai indiquées. Après avoir brisé la vitre d'une fenêtre, il est entré avec le cariste laissant les deux autres à l'extérieur. Aussitôt, Pourtaud qui avait tout de suite compris que Verdoux était mort, a demandé à l'affûteur de nous appeler. Ainsi, jusqu'à notre arrivée, il y a toujours eu au moins deux salariés près de la fenêtre. C'est par là que je suis entré. J'ai constaté à mon tour que la clé était sur la porte, à l'intérieur. Par la suite, nous l'avons ouverte et nous avons procédé à un examen minutieux des lieux. Je peux donc affirmer qu'il n'y avait personne d'autre dans le local. Ça va, commissaire ?

Gradenne, en effet, semblait mal en point et avait des difficultés à respirer.

– J'en ai vu d'autres... Ce n'est pas un petit rhume qui va m'abattre... Où est le corps ?

– Nous l'avons fait transférer à l'institut médico-légal, dans l'attente du permis d'inhumer.

– Verdoux avait-il de la famille ?

– Sa femme occupe toujours la maison de fonction de *Polybois*. C'est moi-même qui l'ai avertie. Pour autant que je sache, leurs deux filles sont mariées et ont pris leur indépendance. J'ai cru comprendre qu'elles avaient des relations plutôt distendues avec leur père.

– Je n'aurais pas aimé être à votre place. Voilà bien le genre de démarche dont j'ai horreur. Comment la femme a-t-elle réagi ?

Le chef fit une petite moue et se passa la main sur la nuque.

– Il faudra que je vous en parle plus tard, lâcha-t-il après un court silence.

– A-t-elle reconnu le corps ?

– Cela a été particulièrement délicat, soupira Courtay en faisant une grimace. Comment voulez-vous reconnaître quelqu'un qui n'a quasiment plus de tête... L'identification a néanmoins été possible grâce aux objets personnels et aux vêtements. Il portait notamment une montre de prix, une Breitling, qui n'est pas la montre de n'importe qui...

– Je pense que vous avez compris que nous devons reprendre l'enquête depuis le début.

– Pas de problème ! Ne vous faites aucun souci pour mes états d'âme. Pour ne rien vous cacher, je ne suis pas mécontent que l'enquête soit poursuivie, surtout par quelqu'un de l'extérieur, je veux dire qui ne connaît ni le pays, ni ses habitants, ni la victime. La mort d'un homme est une affaire toujours grave et mérite que l'on y consacre autant de jours que nécessaire, surtout lorsque le décès est aussi inhabituel et violent, pour ne pas dire bizarre.

– Bizarre ? Que voulez-vous dire ?

– Étrange ! Voilà qui conviendrait mieux. Un directeur d'usine qui se fait écraser le crâne en pleine nuit... ! Je trouve cela pour le moins étrange, pas vous ?

– Oui, vous avez raison, mais je vais vous parler franchement. Êtes-vous vraiment convaincu de la version accidentelle de la mort ?

Courtay hocha la tête, sourit et s'adossa contre sa chaise.

– Que vous répondre puisque je trouve cet accident incompréhensible, et c'est peu dire. Le directeur était un homme dynamique qui avait déjà roulé sa bosse en évitant tous les dangers. Même en fin de carrière, cet homme était vigoureux. Comment a-t-il pu se faire piéger par une presse ? J'avoue que je ne comprends pas. Je ne sais pas ce qui a motivé le procureur à poursuivre l'enquête, mais il a sans doute de bonnes raisons... Voyez-vous, lorsqu'il y a un décès, il n'y a pas trente-six solutions..., en dehors de la mort naturelle, de l'accident, ou du meurtre...

– ...et du suicide, coupa Gradenne. Dans le cas présent, je crois que nous pouvons écarter la mort naturelle...

– Peut-être aussi le suicide, suggéra Courtay, je ne vois pas quelqu'un se suicider de façon aussi horrible, surtout sans laisser un mot d'explication...

– Je vous l'accorde…

– Compte tenu des circonstances – un cadavre retrouvé seul dans un lieu clos fermé de l'intérieur… – la version de l'accident s'est imposée à l'adjudant. C'est vrai qu'il reste encore quelques questions sans réponses, mais nous ne pouvions pas nous permettre de rester plus longtemps sur cette enquête dès lors que les causes du décès semblaient bien cernées. Ce qui compte pour moi ce sont les faits. Si nous avions eu connaissance de la lettre anonyme, il est probable que nous aurions regardé l'affaire sous un autre angle… Mais, que voulez-vous, nous devons être partout à la fois…

– La lettre a été envoyée après le rapport de l'adjudant. Vous ne pouviez pas être au courant.

– Je me réjouirai si votre enquête réussit à faire apparaître des faits nouveaux susceptibles de mieux nous expliquer les raisons de cette mort. J'aimerais bien comprendre comment cet accident est arrivé. Quoiqu'il en soit, je vous confirme mon soutien sans réserve

Le commissaire transpirait. Manifestement fiévreux, il s'épongeait le front.

– Pourrions-nous vous confier nos armes de service ? Nous n'en aurons pas l'usage dans l'immédiat.

– Aucun problème. Nous les mettrons au coffre. Elles seront à votre disposition quand vous le souhaiterez.

– Merci. Pour l'instant, il me faut un remontant, et je dois commencer par soigner les épanchements d'un cerveau dont je vais avoir grand besoin dans les prochains jours. Je suppose qu'il y a une pharmacie encore ouverte. Ensuite, nous irons manger un morceau. Le lieutenant Bruchet est jeune, il a de l'appétit, et je sens que j'aurai besoin de son appui. Vous qui êtes du coin, quelle table nous conseillez-vous ?

– Je vous suggère l'Auberge des Bûche-rons. La cuisine y est simple mais excellente.

Gradenne se leva péniblement et prit congé. En montant dans la voiture, il grelottait.

– Allez vers le centre, dit Gradenne entre deux quintes de toux, je n'ai même pas un cachet d'aspirine sur moi.

Dans cette petite bourgade, ils repérè-rent sans peine le clignotement de la croix verte de la pharmacie. Bruchet se gara sur le parking quasiment désert de la place de la mairie.

– Voulez-vous que j'y aille, commissaire ?

– Merci, je ne suis pas encore sur le flanc. J'en ai pour une minute.

Resté seul, le lieutenant Bruchet repensa au ton de l'entrevue chez les gendarmes. Contrairement à leurs craintes, le chef Courtay semblait apparemment vouloir coopérer. Quentin avait encore en tête les photos effroyables prises par les gendarmes. C'était la première fois qu'il était confronté à une telle situation. Il réfléchissait à la façon d'aborder les investigations, et espérait apprendre beaucoup auprès du commissaire. Celui-ci revenait d'un pas lent, il semblait très las.

– Quel bled sinistre, lâcha-t-il en claquant la portière. Vingt dieux qu'il fait froid ! Le pharmacien m'a filé un cocktail garanti miraculeux, mais j'ai aussi pris un stock de paracétamol. Cela soigne tout. Moi qui ne suis jamais malade !... Que pensez-vous de notre prise de contact ?

– J'étais justement en train d'y réfléchir. Déjà, en ce qui concerne les gendarmes, je pense qu'ils feront sincèrement ce qu'ils pourront pour nous aider.

– Néanmoins, il ne faut quand même pas nous réjouir trop vite. Courtay me paraît franc mais je n'exclus pas qu'il puisse vouloir nous amadouer. Comme il ne peut pas s'opposer à une décision du procureur, c'est beaucoup plus simple pour lui de feindre de jouer le jeu. Enfin, nous verrons bien !

– Dommage que l'adjudant soit indisponible. J'aurais bien aimé qu'il commente lui-même sa conclusion.

– Je suis de votre avis, opina Gradenne. Je tâcherai d'aller le voir. Même à l'hôpital, il devrait pouvoir nous renseigner. À présent, allons casser la croûte, c'est le meilleur des remèdes. Le pharmacien m'a au moins appris que l'Auberge des Bûcherons se trouvait sur la route de Pontarlier.

Chapitre Deux

– Vous n'avez presque rien mangé, commissaire. Comment vous sentez-vous ?

Gradenne toussa à s'en déchirer les poumons, but quelques gorgées d'eau et parvint à dire :

– Un peu mieux. Ce que m'a donné le pharmacien a l'air efficace. Je compte beaucoup sur vous car je crains de ne pas être au mieux de ma forme.

– Par où allons-nous commencer ? Par l'usine, je suppose ?

– Tout à fait ! Nous allons reconnaître les lieux de ce supposé accident et entendre les principaux témoins. La routine… Nous n'avons pas été annoncés et nous pourrons profiter de l'effet de surprise. En quittant nos amis gendarmes, je n'avais pas les yeux en face des trous, et je n'ai pas pensé à demander au chef

Courtay de nous accompagner chez *Poly-bois*, histoire de montrer que nous travaillons ensemble. Logiquement, il devrait être d'accord. Voudriez-vous l'appeler, Bruchet ?

Quentin se mit à l'écart pour appeler la gendarmerie. La conversation fut très brève.

– Ils sont d'accord, dit-il en reprenant sa place. Le chef s'inquiétait de votre état. Il nous rejoint ici dans un quart d'heure.

– Parfait. Nous allons donc l'attendre, et vous pourrez finir votre tarte aux quetsches. Tout compte fait, je pense qu'on peut lui faire confiance. Vous ne croyez pas ?

– Non seulement il n'a pas eu l'air contrarié que nous reprenions l'enquête, mais il a même semblé soulagé comme s'il restait frustré de ne pas avoir trouvé d'explication probante, répondit Bruchet.

– J'ai aussi eu cette impression. Il peut nous être utile. J'ai toujours du mal à comprendre qu'un directeur d'usine vienne la nuit faire des essais alors que ce n'est pas sa fonction. Cette affaire est étrange, cette mort horrible, mais on ne peut empêcher l'hypothèse de l'accident de venir en premier à l'esprit...

Bientôt, un break Mégane « bleu gendarme » vint se garer sur le parking du restaurant. Courtay en descendit flanqué de son fidèle Jacques.

– À votre tour, vous prendrez bien un café avec nous ? proposa le commissaire. Dans le coin là-bas, nous pourrons discuter plus au calme. Bruchet, allez nous commander quatre cafés, je vous prie.

– Comment allez-vous, commissaire ? s'enquit Courtay.

– Mieux, je vous remercie. Avec un peu de Doliprane et beaucoup de mépris, je suis toujours venu à bout de mes rhumes. J'apprécie que vous acceptiez de nous présenter aux dirigeants de *Polybois*. Nous aurions pu nous y rendre seuls, mais je pense qu'il est souhaitable que personne ne compte jouer sur une dissension entre la PJ et la gendarmerie. Nous ne sommes pas venus pour contester votre enquête, vous l'avez bien compris. Il n'est d'ailleurs pas exclu que nous parvenions aux mêmes conclusions. Mais nous devons d'abord répondre scrupuleusement à la réquisition du procureur.

Courtay opinait en souriant.

– Au fait, qui dirige la boîte actuellement ? poursuivit Gradenne.

– Un certain Robert Chatel, le chef de production, c'est un type sympa, dans les trente-cinq ans. D'après ce que j'ai compris, il assure l'intérim en attendant qu'un nouveau directeur soit nommé.

– Et ce Chatel, il aurait ses chances ?

– Je n'en sais rien… Peut-être.

La serveuse apporta les quatre cafés et s'éclipsa.

– Il faut que je vous présente le gendarme Dupret, intervint Courtay. Vous l'avez déjà aperçu à la brigade. Je lui ai demandé de m'accompagner car il est sur l'affaire depuis la première minute. Il était présent lors de la sinistre découverte. Je le tiens un peu sous mon aile car c'est notre dernière recrue. Il est avec nous depuis deux mois à peine. Nous sommes « pays » tous les deux, originaires du même patelin de l'Isère. On se connaît depuis des lustres même si j'ai quelques années de plus que lui…

– Fort bien, fort bien, dit Gradenne en souriant. Je constate que la gendarmerie est une grande famille. À propos de cette affaire qui nous rassemble aujourd'hui, vous deviez nous parler de la femme de Verdoux.

– Oui. C'est assez difficile à expliquer...

Le chef touilla le café dans sa tasse et reposa la cuillère. Il rassemblait ses idées et hésitait...

– Comment vous dire ?... Je ne me risquerais pas à vous écrire ce qui n'est qu'une impression, une sensation étrange..., une intuition plus qu'une certitude qu'aucun fait tangible ne vient encore étayer...

– C'est peut-être ce qu'on appelle le flair...

– Je ne sais pas. Pour vous mettre dans l'ambiance, je vous rappelle que nous avons été appelés à cinq heures du matin. Un tel spectacle, en pleine nuit, relève du cauchemar tout éveillé... En parlant de flair, vous ne pensez pas si bien dire...

Le chef Courtay fit une petite grimace du nez. Gradenne comprit l'allusion.

– Vous me parliez ce matin d'une odeur de chair brûlée ?

– En effet, la presse fonctionne à chaud. Ils vous expliqueront cela mieux que je ne saurais le faire. Après la découverte macabre, nous avons procédé aux constats réglementaires, avant que je ne me charge d'informer l'épouse. Ce n'était pas facile, je vous assure. L'adjudant craignait que quelqu'un ne nous devance. J'étais vraiment très mal à l'aise, Jacques peut vous le confirmer puisqu'il m'accompagnait...

Courtay revivait ce moment avec une réelle émotion. Il raconta que madame Verdoux était déjà levée et habillée en dépit de l'heure matinale. Il lui avait trouvé les traits tirés et l'air inquiet avant même qu'il ne lui explique la raison de sa venue.

– C'était tout à fait légitime, dit Gradenne. Mettez-vous à sa place ! Voir débarquer un gendarme au petit matin alors que son mari n'est pas rentré...

– Je sais. Pourtant, voyez-vous, six mois auparavant, son mari avait eu un accident de voiture en pleine nuit en Bourgogne. Rien de sérieux, tout juste des hématomes, mais il avait été conduit à l'hôpital pour quelques contrôles.

Avant de partir en ambulance, il avait demandé à mes collègues bourguignons de nous prévenir pour que nous puissions aller rassurer sa femme.

– Et je suppose que c'est vous-même qui le lui aviez annoncé.

– Tout juste, et dans des conditions analogues ! Alors que son époux aurait dû rentrer dans la nuit, elle voit arriver un képi, au petit jour. Il y avait matière à s'affoler, surtout lorsque j'ai évoqué l'accident. Mais non ! Elle avait alors pris la chose de façon très détendue. Moi, j'étais relativement à l'aise puisque je lui apportais une nouvelle rassurante. J'avais pourtant été surpris par son calme apparent et pensé qu'elle n'avait pas bien réalisé.

– Et, cette fois-ci, tout au contraire, elle vous a parue abattue.

– C'est cela, avant même que je lui dise quoi que ce soit, j'ai lu de l'inquiétude dans son regard.

– Elle a dû voir à votre expression que quelque chose de grave était arrivé…

– C'est possible… Je veux bien admettre que j'avais la tête à l'envers. Je ne savais pas comment m'y prendre pour le lui annoncer, mais c'est tout juste si elle ne m'a pas aidé. Curieusement, dans des circonstances autrement dramatiques, elle a fait preuve d'un sang-froid remarquable. Elle ne s'est pas effondrée, pas le début d'une crise de nerfs...

– C'est sans doute une forte femme, n'oubliez pas que son mari était un ancien officier... Vous ne l'ignorez pas ?

– Pour ça non, il en parlait assez !

Courtay revivait ces événements qui l'avaient visiblement marqué.

– C'est étrange, murmura-t-il, depuis bientôt une semaine, je n'arrête pas d'y penser. C'était comme si elle s'y attendait.

– Merci pour ces informations, coupa Gradenne. Je les mets dans un coin de ma tête. C'est le genre de première impression à ne pas négliger. C'est souvent à chaud que les meilleurs indices sont recueillis. Nous aurons l'occasion d'en reparler, mais tant que mes cachets font leur effet et que j'ai les idées à peu près claires, nous pourrions nous rendre sur les lieux du drame.

– En vous écoutant, intervint timidement Bruchet, je me demandais si quelqu'un d'autre ne l'avait pas prévenue avant vous, expliquant sa mine défaite et pourquoi elle était déjà levée. Si tel fut le cas, pourquoi l'avoir dissimulé ? Et qui peut l'avoir avertie ?

– Bien vu, Bruchet. Qu'en pensez-vous, chef ?

– Dans ce cas, je ne vois pas pourquoi elle m'aurait joué la comédie.

Quelques minutes plus tard, la Laguna du commissaire, précédée de la Mégane break du chef Courtay, entra dans l'enceinte de l'usine *Polybois*. L'hôtesse fut impressionnée par l'arrivée de quatre personnes à l'air grave, dont deux en uniforme.

– Nous voudrions voir monsieur Chatel, demanda Courtay.

Elle ne demanda même pas qui elle devait annoncer, fébrile comme tout le personnel dans le contexte dramatique qui régnait dans l'usine depuis six jours. Plus personne n'était surpris de voir des gendarmes.

Un homme vint bientôt à leur rencontre. De taille moyenne, vêtu d'un pantalon de velours et d'un gros chandail, il avait l'œil vif et le pas décidé. Il échangea des poignées de main fermes avec les nouveaux venus.

– Bonjour, messieurs. Que puis-je pour vous ?

Courtay fit les présentations.

– Je vous présente le commissaire Gradenne et le lieutenant Bruchet de la PJ. Ils vont poursuivre l'enquête sur la mort de monsieur Verdoux.

Chatel parut surpris. Il regarda tour à tour ses visiteurs.

– Ah ! Bon... Je croyais que l'enquête était close...

Gradenne avait relevé au passage que Courtay n'avait pas dit « *reprendre l'enquête* » mais « *poursuivre l'enquête* ».

– Le procureur a jugé utile d'approfondir quelques points. Pouvez-vous nous accorder un moment ?

– Mais bien entendu. Allons dans la salle de réunion.

Une fois installés, Chatel reprit :

– Asseyez-vous, je vous prie, mettez-vous à votre aise. Je vais me présenter brièvement. Je me nomme Robert Chatel. Je suis ingénieur de l'École supérieure du bois. Je travaille chez *Polybois* depuis quatre ans et je suis ici chef de production. On m'a confié l'intérim de la direction de l'usine en attendant une décision du siège.

– Décidément, l'intérim est contagieux dans la région ! intervint Courtay. Moi-même je remplace provisoirement l'adjudant. Comme nous sommes en effectif réduit, je suis ravi que la PJ prenne la relève et je lui passe volontiers le flambeau. Avez-vous eu connaissance d'un fait nouveau, même de quelque chose d'apparemment anodin, depuis que nous nous sommes vus la semaine dernière ?

– Ma foi, non, répondit Chatel après une courte réflexion. Depuis le drame, nous avons eu beaucoup de soucis d'ordre technique et cela nous a bien occupé l'esprit, croyez-moi. Si un souvenir me revenait, je vous en ferais part, ajouta-t-il en s'adressant autant aux gendarmes qu'aux policiers.

– Parfait ! Je passe donc le relais au commissaire Gradenne et je me tiens à sa disposition. Nous allons vous quitter car le devoir nous appelle ailleurs. Commissaire, le dossier est disponible à la brigade.

Les deux gendarmes se levèrent et prirent congé.

– Comment cela se passe-t-il à l'usine ? demanda alors Gradenne.

Chatel soupira en hochant la tête.

– La conjoncture n'est pas favorable et la concurrence très vive. Avec la hausse du coût de l'énergie, nos frais de production se sont envolés. Ainsi que je le disais il y a un instant, nous avons eu une série de pannes, pénalisant lourdement la productivité et préoccupant les esprits comme si un mauvais sort s'acharnait sur notre entreprise…

– Je comprends. Mais pouvez-vous me dire si, d'une manière ou d'une autre, la mort de votre directeur a eu des incidences sur le fonctionnement de l'usine.

Chatel hocha la tête, réfléchit longuement et se leva. Il porta son regard par la fenêtre vers la campagne gelée.

– Les esprits ont surtout été frappés par les circonstances de sa mort. Je vous avoue franchement que je ne comprends pas comment cela a pu se produire. C'est d'ailleurs ce que j'ai dit à ces messieurs, poursuivit Chatel en désignant du regard la porte par laquelle les gendarmes venaient de sortir.

– Quelle est votre opinion sur ce drame ? demanda Bruchet.

– D'après ce que j'ai appris, monsieur Verdoux a été retrouvé seul dans l'atelier-pilote verrouillé de l'intérieur...

Il s'arrêta, en faisant une mimique qui exprimait son incrédulité.

– Vous semblez surpris ? questionna Gradenne.

– Je ne suis pas le seul... Je n'arrive pas à comprendre comment cet accident est arrivé. J'ai déjà dit tout ce que j'en pensais. Je croyais que l'enquête était terminée. Je n'étais pas sur place au moment des faits. Le contremaître m'a prévenu par téléphone. Il n'est pas rare que je sois réveillé en pleine nuit. D'habitude c'est pour m'annoncer une panne ou pour me demander de venir sur place, mais je ne m'attendais pas à ça...

– Donc, vous dormiez...

– Ma foi oui, je ne devais me lever qu'une heure plus tard. Je viens toujours vers sept heures pour faire le tour de la chaîne de production, discuter avec le contremaître des problèmes rencontrés la nuit. Je suis en général disponible au moment de la relève, à huit heures.

– Vous êtes venu immédiatement ?

– Bien entendu.

– Vous avez vu...

– ...pas le lieu de l'accident parce que l'équipe de gendarmerie était sur place et que personne ne pouvait entrer. D'autre part, je ne suis pas friand de ce genre de tableau. Les spectacles macabres, très peu pour moi !... Ils ont emmené le corps je ne sais où et ils ont posé les scellés sur le labo.

– Cela vous a perturbé ?

– Pardi ! Plus moyen de faire des contrôles sérieux ! Le jeudi, nous avons essayé de produire quand même mais, inquiet sur la qualité, j'ai pris la décision d'arrêter la production. Je me ferai sonner les cloches par le siège, mais moins que si j'avais fabriqué de la camelote !

– Qu'avez-vous fait ?

– J'en ai profité pour entreprendre un nettoyage approfondi et procéder à quelques opérations de maintenance prévues pour le mois suivant. Le personnel a ainsi toujours été occupé et, vendredi soir, nous avons pu redémarrer lorsque les scellés ont été retirés.

– J'aimerais faire un tour de l'usine avant d'aller au labo.

– Bien volontiers, dit Chatel en se levant. Je vais vous guider moi-même. Mais auparavant, je vais vous expliquer sommairement le principe de notre fabrication afin que vous puissiez mieux vous repérer. Vous savez sans doute que nous produisons surtout des panneaux de particules. Notre gamme comprend aussi des dalles pour le bâtiment et des éléments préfabriqués pour l'ameublement. Par ailleurs, de nouveaux produits sont à l'étude.

– Ces nouveaux produits sont mis au point dans l'atelier-pilote...

– C'est ça. Je vous le ferai visiter. Pour en revenir à notre production de base, nous partons de bois brut, que ce soit du taillis ou des chutes de scierie, et nous en faisons des copeaux. Ceux-ci sont séchés, triés par grosseur et éventuellement rebroyés. Ensuite, ils sont encollés, déposés sur un tapis roulant, découpés en plaques de quatre mètres environ et pressés à chaud. Après une période de stabilisation de quelques jours, ils sont poncés sur les deux faces. Cela paraît très simple, mais en réalité, très difficile à réaliser. Allons voir sur place, voulez-vous ?

Le commissaire s'emmitoufla dans son anorak, coiffa sa chapka et enroula son écharpe autour de la gorge. Au fond du couloir, la porte qui donnait sur la chaîne de production, ouvrait sur un bruit assourdissant composé de sifflements, de cognements et de grondements, dans une atmosphère de poussière et d'odeurs irritantes...

– Vous êtes ici au cœur de l'usine, dit Chatel en élevant la voix pour se faire entendre.

Ils parcoururent l'immense atelier à la suite de l'ingénieur sous le regard intrigué des ouvriers. Ayant traversé le hall, ils se retrouvèrent à l'extérieur et ressentirent une impression de calme, mais le froid vif les saisit et leur rappela qu'ils étaient dans le Jura, en plein mois de janvier.

– Commençons par le parc à bois, proposa l'ingénieur.

Devant une imposante rangée de bois empilés et de déchets de scierie, Chatel reprit ses explications :

– Voilà notre matière première. En plus de ce que vous voyez, nous recevons aussi de la sciure par camions qui est directement envoyée dans des silos. Bien entendu, nous avons aussi besoin de colle, d'une colle urée-formol qui nous parvient en citernes. Voilà pour l'essentiel. Du bois et de la colle. Je vous fais grâce des autres produits chimiques. Allons maintenant voir les hacheurs qui produisent les copeaux destinés aux couches externes des panneaux. Ces machines sont des Homick de fabrication allemande qui tombent rarement en panne. Les copeaux sont ensuite envoyés vers un silo par transport pneumatique. Ils passent dans ce gros tuyau qui aboutit au cyclone en haut du silo.

– Un cyclone ?

– Oui, c'est une sorte d'entonnoir. Pour faire simple, les copeaux sont entraînés par un puissant courant d'air dans le gros conduit et arrivent sur le côté du cyclone. L'air s'échappe par le haut et les copeaux tombent. Toutes ces cheminées bizarres sur le toit sont donc des cyclones.

Les deux policiers découvraient, impressionnés, ces installations gigantesques. Gradenne frissonna et, d'un signe de tête, exprima à Chatel son envie d'aller se mettre au chaud. Ils revinrent dans le grand hall pour se diriger vers la presse.

– Nous pressons douze panneaux d'un coup. Ils font quatre mètres de long sur deux mètres cinquante de large. Le tapis roulant reçoit les copeaux encollés qui constituent ce que nous dénommons le « matelas », lui-même découpé en tronçons que nous appelons gâteaux. Ceux-ci sont stockés sur cet ascenseur en amont de la presse. Vous voyez que le tapis roulant ne s'arrête pas. C'est indispensable pour avoir des panneaux homogènes.

À cet instant, la presse s'ouvrit, libérant des panaches de vapeur. Les plateaux descendirent lentement puis un vérin poussa les gâteaux entre les plateaux. Dans le même temps, les panneaux pressés étaient entraînés dans un autre ascenseur en aval de la presse. Dès que le vérin se retira, la machine remonta pour recommencer son cycle de pressage. L'ascenseur amont commença à stocker les gâteaux tandis que l'ascenseur aval se vidait de ses panneaux, un a un, prêts à être découpés sur les quatre côtés.

Bruchet ressentit un picotement dans les yeux, puis toussa ainsi que son supérieur. L'ingénieur comprit que cette toux ne relevait pas de la grippe.

– Ce n'est rien, dit-il un peu embarrassé, seulement des vapeurs de formol dégagées par la décomposition à chaud de la colle. Nous y sommes habitués. C'est pour cette raison qu'il y a une forte aspiration au-dessus de la presse. Vous sentez le courant d'air ?

– Voulez-vous faire une pause, commissaire, suggéra Bruchet, vous avez l'air fatigué. Est-ce par le froid ou par autant d'explications techniques ?

– Non, je pense plutôt qu'il est temps de reprendre mes cachets. Pourrais-je avoir un verre d'eau ? demanda Gradenne.

– Mais certainement, répondit Chatel avec empressement. Vous n'êtes pas bien ?

– Un simple coup de froid, je vais soigner ça vite fait !

À la suite de l'ingénieur, ils entrèrent dans une petite salle confortable et bien plus calme, destinée à accueillir les clients, loin de l'atmosphère bruyante et

insalubre de l'usine. Gradenne se débar-
rassa de son écharpe et de sa chapka
puis s'affala dans un fauteuil tandis que
Chatel s'affairait devant un mini bar. Il
revint avec un verre et une petite bouteille d'Evian.

– Préféreriez-vous une boisson chaude ?
demanda-t-il en posant le verre et la bouteille sur une table basse.

– Bonne idée ! Je prendrais volontiers
un thé.

Chatel interrogea Bruchet du regard et
comprit que lui aussi en boirait bien,
puis retourna vers le mini bar pour préparer le breuvage. Gradenne respirait
difficilement et transpirait, regardant
son collègue d'un air de chien battu qui
ne lui ressemblait pas. Il se sentait en
position d'infériorité et cela lui déplai-
sait. Reprenant l'initiative, il interrogea :

– Dites-moi, ces vapeurs de formol ne
sont-elles pas nocives pour la santé ?

– Vous soulevez là un problème délicat, répondit l'ingénieur que cette question mettait visiblement mal à l'aise.
Cela dépend de la météo. Certains jours,
on ne sent rien du tout. À d'autres
moments, c'est difficilement supporta-

ble, il faut alors ouvrir les grandes portes
du hall. Tout dépend du vent.

– Je suppose que les ouvriers qui respi-
rent ces vapeurs pendant huit heures de
suite ne doivent pas apprécier...

– Vous ne croyez pas si bien dire.
Cela nous a valu une grève à mon arrivée, il y a quatre ans. La ligne de production venait d'être modernisée et la
nouvelle presse permettait d'augmenter
les cadences de cinquante pour cent.
J'avais été recruté pour mettre en route
l'installation. Vous n'imaginez pas la
complexité d'une telle organisation. Il
suffit qu'un ventilo tombe en panne
pour que des dizaines de mètres de
tuyaux soient bouchés. On en a parfois
pour des heures à tout rétablir. Quand
l'usine s'est mise à tourner correctement, c'est alors que le problème du
formol est apparu dans toute son
ampleur. Jusque-là, chacun pensait que
c'était une question de mise au point.
Tout le monde pleurait dans le hall, et
devant la presse c'était irrespirable. Les
opérateurs étaient pris de nausées.

– Si je vous suis bien, commenta Gradenne, c'est au moment où la technique

était au point que la production a été arrêtée.

– Tout à fait ! Le personnel a refusé de continuer dans ces conditions. Le directeur d'alors qui n'était pas encore Verdoux, est intervenu auprès du siège à Paris pour débloquer d'urgence des crédits afin d'installer des ventilos sur le toit. Nous avons perdu deux semaines de production.

– Et depuis ça va mieux ?

– Plus ou moins... Il y a huit ventilos au-dessus de la presse, mais depuis deux mois, trois d'entre eux sont hors service et nous n'avons pas les crédits pour les remplacer. C'est pour ça que vous avez senti quelques vapeurs.

– J'imagine ce que cela devait être sans la ventilation. Et qu'en pense le personnel ?

– Ça grogne un peu. Verdoux leur a dit que c'était ça ou bien l'usine fermait. Alors...

– C'était du bluff ?

– Pas tant que ça !... Nous traversons une période très difficile. Cela ne va pas fort dans le bâtiment et nous en subissons le contrecoup.

Gradenne récupérait peu à peu. Il resta pensif un moment puis se leva et reprit son anorak.

– Je ne voudrais pas abuser de votre temps. Nous aurons sans doute l'occasion de reprendre cette visite fort intéressante. Dans l'immédiat, je souhaiterais voir les lieux du drame.

L'atelier-pilote était à une cinquantaine de mètres du bâtiment principal. Chatel s'arrêta à quelques mètres de l'entrée, dans le froid.

– Ces portes étaient fermées de l'intérieur. Les fenêtres sur la façade latérale sont celles du labo. C'est par la première qu'ils ont pénétré, cette nuit-là.

À l'entrée du bâtiment, ils se retrouvèrent dans une sorte de vestibule, haut de plafond, éclairé par deux néons. Bruchet perçut aussitôt des effluves inhabituelles au milieu de l'odeur caractéristique du bois. Gradenne examina les moyens d'accès.

– Il est très rare que la grande porte soit ouverte, précisa Chatel qui avait deviné les réflexions du policier. Elle n'est utilisée que pour faire entrer des matières lourdes ou volumineuses. En temps normal, nous passons par la petite. Comme vous le constatez, l'entrée suffit à laisser passer un chariot en cas de besoin.

– Qui vient ici ? demanda Gradenne

– Un peu tout le monde, répondit Chatel en désignant d'un mouvement de tête un distributeur de boissons. Mais surtout le personnel du labo et de l'atelier-pilote bien entendu, ainsi que les contre-maîtres.

Gradenne semblait préoccupé par la conception de cette porte d'entrée, haute de deux mètres cinquante et de trois mètres de large, avec ses deux battants en bois solidement calés en haut et en bas par deux grosses tiges métalliques scellées l'une dans le linteau et l'autre dans le sol. Deux grosses targettes complétaient la fermeture. La petite porte découpée dans le panneau de gauche était munie d'une simple serrure. Chatel commenta :

– Impossible d'ouvrir les battants de l'extérieur. Si la petite porte est fermée, il n'est pas possible d'entrer.

Gradenne hocha la tête en signe d'approbation.

– Continuons, proposa-t-il.

Sur leur gauche, une autre porte donnait sur ce qu'ils devinaient être le labo avec, au fond, les silhouettes d'installations mystérieuses. Le hall était seulement éclairé par les néons du vestibule. L'ingénieur appuya sur un interrupteur permettant d'éclairer des équipements dont ils ne comprirent pas la fonction. Le local était vaste et ordonné avec de nombreux rayonnages chargés de bidons, de morceaux de bois, de pièces diverses et, dans un coin, de nombreuses caisses soigneusement empilées. Chatel s'approcha d'une machine.

– Voici la presse tragique. Je suppose que les gendarmes vous ont montré les photos. Moi je n'ai rien vu. D'après ce que j'ai compris, Verdoux a été retrouvé ici, la tête écrasée entre les plateaux.

Bruchet frissonna et son regard croisa celui du commissaire assis sur une caisse à proximité, s'essuyant le front avec son mouchoir. Un silence pesant s'établit. Chatel regardait tour à tour les deux enquêteurs dans l'attente d'une question. Le jeune policier contourna la presse et s'accroupit pour examiner, au pied de la machine, des taches brunes qui semblaient récentes. Chatel que ce silence embarrassait, prit la parole :

– Je ne comprends pas pourquoi Verdoux est venu faire des essais en pleine nuit et surtout seul, sachant que la sécurité imposait d'être accompagné.

Bruchet se releva lentement et jeta un long regard circulaire sur les lieux. À petits pas, parvenu à l'autre bout, il découvrit une autre porte à double battant encore plus importante que la première. Il revint vers l'ingénieur.

– Où donne cette porte ?

– Dans un magasin de stockage. Elle est pratiquement condamnée et ne sert que pour entrer du gros matériel, comme la presse qui pèse environ deux tonnes. Il faut pouvoir venir ici avec un chariot élévateur. En temps ordinaire, l'autre entrée suffit.

– Je vois. Qu'y a-t-il derrière ?

– Des piles de panneaux. Pour les découvrir, il faut passer par l'extérieur parce que la porte s'ouvre vers le magasin et, de toute façon, je n'ai pas la clé.

– Il n'y a personne qui travaille ici aujourd'hui ? demanda Gradenne.

– Ces installations n'ont pas pour fonction de produire. Elles servent à préparer
les futurs prototypes en fonction des pro-
grammes de recherche. Pour l'instant, les
essais sont suspendus. D'ailleurs, vous
constatez que le chauffage a été coupé.

– De sorte, intervint Bruchet, qu'il n'y
a pas eu d'activité ici depuis…

– Non ! Nous avons seulement nettoyé.

– Qui est chargé de la recherche ?

– Un ingénieur-chimiste, Noël Guardac. Je vais vous le présenter.

Ils revinrent sur leurs pas et entrèrent
dans le labo où s'affairaient trois hommes en blouse blanche. Dans une petite
pièce attenante, un homme barbu, dans
la trentaine, assis derrière un bureau,
leva les yeux vers les arrivants. Chatel lui
serra la main.

– Salut, Noël, je te présente deux
enquêteurs de la PJ. Ils sont là pour
l'accident de Verdoux.

– Bonjour, messieurs, je croyais l'enquête terminée.

– Le procureur nous a chargés d'approfondir certains points, dit évasivement
Gradenne. Monsieur Chatel nous fait visiter.

Guardac se leva et proposa de présenter ses activités. Son regard était perçant et son visage austère.

– Nous sommes cinq à travailler ici, moi compris. En fait, je dépends directement du siège. J'ai essentiellement deux fonctions. La première consiste à faire évoluer les procédés en cours dans toutes les usines du groupe, la seconde à faire de la recherche pour les produits d'avenir.

– Si j'ai bien compris, monsieur Verdoux n'était donc pas votre supérieur hiérarchique…

Bruchet qui se tenait un peu en retrait, remarqua une légère crispation sur le visage de Guardac qui répondit néanmoins calmement.

– Non ! Je dépends du directeur de recherche qui est au siège. La hiérarchie ici est un peu compliquée. Voyez-vous…

– Un peu plus tard, s'il vous plaît, coupa le commissaire. J'aimerais d'abord avoir une vue d'ensemble de la situation

Gradenne avait esquissé un geste qui signifiait qu'il fallait aborder le problème avec calme et méthode. En parlant, il avait souri avec bienveillance, afin de ne pas froisser Guardac.

– Je comprends, je suis à votre disposition, répondit ce dernier.

Bruchet réalisait que son chef était sérieusement fatigué. Il ne fut donc pas surpris lorsque Gradenne demanda à Chatel quelques documents sur l'entreprise. Il était clair que c'était là un moyen d'abréger la visite et de retourner dans le bâtiment principal pour souffler un peu.

Dans le bureau de Chatel, le commissaire se laissa littéralement tomber dans l'un des deux fauteuils.

– Que puis-je pour vous ? demanda l'ingénieur.

– J'aimerais disposer de la liste du personnel, du planning de mardi et mercredi dernier.

– Aucun problème !

– Pendant que vous y serez, procurez-moi la liste des salariés des équipes B et C, ayant travaillé la fameuse nuit.

Chatel hocha la tête et esquissa un sourire admiratif.

– Vous êtes bien renseigné. Ce sont effectivement les deux équipes concernées. Je vais vous faire préparer ça. Je reviens dans un instant.

Quand il fut sorti, Bruchet s'inquiéta de sa santé auprès du commissaire.

– Ça ne va pas bien, ça se voit tant que ça ? répondit-il avec un sourire fatigué. Je crois que j'ai ma dose pour ce soir. Je ne suis plus bon à grand-chose. J'espère aller mieux demain. Rentrons au chaud et discutons de cette affaire.

Il se cala dans le fauteuil et ferma les yeux. Bruchet commençait à prendre conscience qu'il devrait sans doute assumer lui-même cette enquête, bien qu'il restât impressionné, ou plutôt intimidé par son supérieur. Le personnage s'était montré d'un commerce agréable. Mais la supériorité hiérarchique de Gradenne le bloquait, lui, jeune lieutenant nouveau dans le service, bien en peine de prendre des initiatives dans l'ombre de son chef.

Un grondement sourd, couvert à intervalles réguliers par des bruits de scies, troublait seulement le silence du bureau. Bruchet regardait par la fenêtre la campagne blanchie par la neige. Le jour déclinait et les rares autos qui passaient sur la route ne se devinaient plus que par leurs phares. Une légère angoisse montait en lui, due moins aux circonstances de la mort de Verdoux qu'à la perspective de conduire cette enquête dans des conditions difficiles.

Gradenne sursauta en grognant quand la porte s'ouvrit brusquement. Manifestement, il s'était endormi.

– Voilà ce que vous m'avez demandé, dit Chatel en déposant une liasse de feuilles devant lui. Désirez-vous autre chose ?

– Non, ça ira pour ce soir, je vous remercie. Nous allons en rester là. Je vous reverrai demain. Je vous remercie pour votre accueil.

– C'est normal. Soignez-vous bien.

Quelques minutes plus tard, les deux policiers roulaient vers leur hôtel. Gradenne qui semblait dormir ne dit pas un mot jusqu'à l'entrée de Citraize. Il sortit péniblement de la voiture. L'aubergiste les attendait.

– À quelle heure souhaitez-vous dîner ? demanda-t-il.

Gradenne émit un soupir. Il grelottait malgré la chaleur réconfortante de la salle.

– Vous devriez vous reposer un peu ? suggéra Bruchet.

– C'est ce que je vais faire mais auparavant, je prendrai un grog. Vous en prendrez bien un aussi ! Pouvez-vous nous faire ça, patron ?

L'aubergiste acquiesça d'un mouvement de tête et se dirigea vers le comptoir tandis que les deux policiers prenaient place dans des fauteuils. Gradenne ne retira pas son anorak, mais ôta seulement sa chapka. Ses cheveux trempés de sueur collaient à son front.

– Il y a longtemps que je n'ai pas eu pareille crève, gronda-t-il.

Les grogs arrivèrent à la grande satisfaction du commissaire.

– C'est peut-être un remède de grand-mère, mais ça fait du bien… Je vais prendre le traitement du pharmacien et aller me reposer. Passez me récupérer vers vingt heures.

Il demanda sa clé et monta à pas fatigués.

Plus tard, à l'heure dite, Bruchet frappa quelques coups légers à la porte de la chambre de son chef et, n'obtenant pas de réponse, il s'enhardit à l'entrouvrir.

– Patron, comment allez-vous ?

Toujours sans réponse, il fit un pas dans la pénombre. Le seul éclairage de la pièce venait de la lampe du couloir. Gradenne était allongé sur le lit tout habillé, recouvert par un édredon. Il avait seulement retiré ses chaussures. Au rythme de sa respiration régulière et bruyante, il était évident qu'il dormait à poings fermés.

Bruchet était embarrassé. Fallait-il le laisser dormir ? Dans cet état, peut-être avait-il besoin de soins ? Il s'avança jusqu'au lit et toucha l'épaule du malade. Gradenne émit un grognement et ouvrit un œil.

– Ah ! c'est vous, Bruchet, quelle heure est-il ?

– Un peu plus de vingt heures. Comment vous sentez-vous ?

Il s'était assis sur le lit et se frottait les yeux.

– Désolé, mais vous allez devoir dîner seul. Mangez bien, je compte sur vous… et… couchez-vous tôt. Demain est un autre jour.

– Bonsoir, patron.

En descendant vers la salle à manger, perplexe, Quentin se demanda s'il devait prévenir la femme de Gradenne qu'il ne connaissait pas. Ce dernier pourrait lui reprocher de l'avoir inquiétée ou de se mêler de sa vie privée…

Il avertit l'hôtelier qu'il dînerait seul. Celui-ci ne dit mot, mais son visage exprima sa déception.

– Y a-t-il un médecin ici ? demanda Bruchet pour couper court aux commentaires inutiles.

– Certainement, vous pensez que… ?

– Nous n'en sommes pas encore là. Je me renseigne seulement, au cas où. Le commissaire va dormir et, après une bonne nuit, nous aviserons demain matin.

Bruchet s'installa et dîna de bon appétit en dépit de ses inquiétudes pour le lendemain. La journée avait été riche en événements et l'avenir dépendait aussi de l'état de santé du commissaire : « *Pourvu que Gradenne se rétablisse* », songea-t-il pour se rassurer.

Après le repas, il se sentit ragaillardi et prit l'initiative d'aller rôder autour de l'usine.

Chapitre Trois

Cette nuit-là, Quentin se réveilla de bonne heure, inquiet pour la santé du commissaire. Comment ferait-il s'il devait continuer tout seul ? Il alla frapper à la porte de son supérieur. Sans résultat ! Il entra doucement dans la chambre et fut surpris d'entendre Gradenne l'interpeller.

– Entrez, Bruchet. Ça fait un bout de temps que je ne dors plus. Je vous ai entendu vous lever.

– Comment allez-vous ce matin ?

– Pas bien ! Et c'est peu dire ! J'ai mal dormi et j'ai un mal de crâne carabiné. Mais il ne faut pas se laisser aller.

Il rejeta les couvertures d'un geste vif et s'assit sur le lit. Bruchet le vit alors vaciller et le rattrapa de justesse avant qu'il ne tombe.

– Oh ! patron, ça ne va pas ? Vous êtes brûlant.

Réinstallé dans son lit, le commissaire murmura :

– Ce n'est pas la forme olympique. Je crains le pire...

– Que voulez-vous dire ?

– Le médecin pardi ! J'ai horreur de ces gens-là. Mais aujourd'hui...

– Il y en a un dans ce bled, je me suis renseigné. Voulez-vous que je le fasse venir ?

– Hélas ! oui. L'aubergiste s'en chargera. Quant à vous, faites pour le mieux. J'ai eu le temps de réfléchir. Je pense que l'hypothèse de l'adjudant tient la route : cela ne peut être qu'un accident. Ne cherchons pas midi à quatorze heures. Après avoir vérifié deux ou trois trucs pour satisfaire le procureur, nous rentre- rons à la maison. Je vous fais confiance. Allez, allez...

Bruchet n'insista pas et alla prendre son petit déjeuner sans avoir eu le temps de raconter à son chef qu'il était allé la veille au soir observer les abords de l'usine pendant presque deux heures. Comme il ne connaissait personne de l'équipe de nuit, il n'avait pas osé entrer se rendre compte par lui-même de l'ambiance du travail nocturne. Il avait garé la voiture du commissaire en face de l'entrée. Dans l'obscurité, personne ne pouvait le voir. La neige dans les champs autour de l'usine était gelée, si bien qu'il avait pu marcher sans s'enfoncer autour des bâtiments, lentement, sans rien remarquer de particulier. L'usine tournait normalement car il voyait des lumières à l'intérieur et surtout il entendait les bruits multiples de la fabrication : le grondement sourd continu, les aigus des scies et à intervalles réguliers, le mugissement des broyeuses. Au bout d'un moment, saisi par le froid, il était rentré se coucher. Par précaution, il avait emprunté la clé à l'aubergiste si bien qu'il avait pu rejoindre sa chambre sans attirer l'attention.

Ce matin, il était au pied du mur, seul. Quels pouvaient bien être ces « *deux ou trois trucs* » de nature à satisfaire le procureur ? Il n'avait pas osé demander plus de précisions à Gradenne de peur de paraître incompétent. Il reprit la direction de l'entreprise *Polybois* où il devait prévenir Chatel de son intention de rôder dans l'usine.

Au bout de quelques minutes, celui-ci le reçut, revêtu d'une combinaison bleue recouverte de poussière.

– Que puis-je pour vous ? Vous êtes seul ? Votre collègue n'est pas malade, au moins ?

Tout en discutant, ils se dirigèrent vers le bureau de Chatel.

– Le commissaire mène des recherches par ailleurs. On se répartit le travail.

Bruchet avait répliqué d'instinct, spontanément, sans avoir prémédité l'alibi de son patron. Par la suite, il se demandera pourquoi il avait répondu ainsi. Pour ne pas reconnaître qu'il était seul ? Ou bien parce que Gradenne aurait préféré que sa défaillance physique soit ignorée ?

– Pour les besoins de l'enquête, je devrai procéder à quelques vérifications et interroger les membres du personnel. Il me faut donc votre accord pour le faire dans le cadre de leur travail...

– Aucun problème dans la mesure où vous ne perturbez pas la production ! Tout le monde doit être à son poste. Déjà que j'ai deux absents...

– J'y veillerai, soyez rassuré.

Chatel lui proposa aussi un bureau, voisin du sien.

– Si cela vous convient... cette pièce est inoccupée. Vous avez le téléphone. Faites le zéro pour obtenir l'extérieur et si vous avez besoin de...

– Je vous remercie. Cela peut m'être très utile. Je ne sais si je resterai long-temps mais c'est très aimable de votre part.

– Parfait, alors voici la clé. Vous pou-vez aller où vous voulez comme bon vous semble. Je vais prévenir les contre-maîtres.

– Je pense que je vais commencer par le labo et l'atelier-pilote.

– Vous connaissez les lieux. Excusez-moi, mais j'ai du travail. En cas de nécessité, vous savez où me trouver.

Sa première visite fut pour Noël Guar-dac. Celui-ci ne parut pas surpris. Il avait le même air bourru que la veille, mais esquissa l'ébauche d'un sourire en demandant :

– Bonjour. Avez-vous bien dormi ?

– Très bien, je vous remercie. Auriez-vous un moment à m'accorder ?

– Certainement. Asseyez-vous.

– Un détail m'a intrigué. Vous m'avez bien dit hier, que vous dépendiez directement du siège ?

– C'est exact.

– Vous avez aussi laissé entendre que la hiérarchie était un peu compliquée...

Guardac sourit cette fois franchement en haussant les sourcils. Il expliqua à Quentin que sur les cinq personnes qui travaillaient dans l'atelier-pilote, deux dépendaient directement du directeur de recherche basé au siège, à Paris : lui-même et un technicien, parce qu'ils travaillaient pour d'autres usines du groupe. Les trois autres étaient rattachées au directeur local pour procéder aux contrôles des matières premières et des produits finis. Malgré la hiérarchie « officielle » et du fait de leur proximité, les cinq hommes formaient une petite équipe. Notamment, les laborantins apportaient leur concours en cas de besoin, particulièrement lors des essais sur des produits nouveaux. C'était la hiérarchie « de terrain ».

Quelques mois plus tôt, l'un de ses collaborateurs s'était marié et avait quitté la région. Sans prendre la précaution de consulter Guardac, Verdoux avait alors recruté un remplaçant qui se révéla être une taupe rapportant au directeur tout ce qui se passait au labo.

Guardac ne cacha pas à Quentin que ses relations avec Verdoux étaient conflictuelles. Celui-ci lui avait claire-ment fait comprendre qu'il n'était qu'un simple locataire puisque le laboratoire et l'atelier-pilote faisaient partie de l'usine. De plus, en jouant avec les subtilités de la comptabilité analytique, Verdoux n'hésitait pas à facturer au service cen-tral de recherche, les moindres charges générées par Guardac.

– À quel titre Verdoux pouvait-il venir ici faire des essais, alors que c'est votre travail ? demanda Quentin.

Guardac soupira en hochant la tête.

– Que puis-je vous dire ? Je ne suis ici que « locataire ». Verdoux s'estimant chez lui, prétendait être chargé de program-mes de recherche et entendait les mener lui-même.

– Était-il compétent ?

– Absolument pas. Il pillait honteuse-ment mon travail et profitait toujours de mes absences pour s'introduire ici et faire sa « cuisine ». Il bricolait des essais incohérents et se faisait ensuite mousser. Il ne risquait pas de reconnaître qu'il déréglait ou même parfois détériorait nos machines.

– Vous vous absentez souvent ?

– De temps en temps. Le groupe compte en France cinq usines qui font des produits similaires. Je vais parfois y mettre au point des productions. L'atelier-pilote pourrait tout aussi bien être dans une autre usine puisque je fais des recherches pour l'ensemble de la société.

– La semaine dernière, vous n'étiez pas là ?

– J'étais pour quelques jours dans notre usine des Landes. Je suis rentré précipitamment lorsque j'ai su...

– Mais quel était l'intérêt de Verdoux de faire lui-même des essais ?

– Il voulait avoir la main sur tout. Sans être mon hiérarchique, il venait dans mon atelier faire des expériences bidons pour me narguer et me faire comprendre qu'il était au-dessus de moi. Il avait de solides appuis au siège où on m'a demandé de ne pas faire d'éclats et de supporter la situation.

– Facile à dire !

– En effet ! Heureusement que Verdoux s'absentait lui aussi, cela nous faisait des vacances.

– Où allait-il ?

– Il estimait qu'il n'avait pas à le dire. Même sa secrétaire ne savait parfois pas comment le joindre… Il annonçait simplement qu'il serait absent.

– Et sans lui, l'usine tournait quand même ?

Le visage de Guardac s'éclaira d'un coup. Il se renversa en arrière et rit de toutes ses dents.

– Je dirais même qu'elle marchait mieux. C'est-à-dire que le personnel était plus détendu. Quand il faisait son tour d'usine, tout le monde le redoutait parce qu'il trouvait toujours à redire. Il ne se gênait pas pour engueuler le personnel et ensuite en « remettre une couche » auprès des agents de maîtrise.

– J'aimerais revoir les lieux de l'accident, vous permettez ?

Les deux hommes se rendirent dans l'atelier-pilote où Quentin examina encore longuement la presse. Guardac expliqua que cette machine était utilisée par exemple pour tester une nouvelle colle ou des additifs. Cela coûtait toujours moins cher que les essais grandeur nature. Pour lui, cet outillage paraissait tout simple. Cette presse servait aussi pour des essais de portes de placards ou de produits volumineux. Le plateau du haut était réglable, selon la hauteur de l'objet à presser. Le plateau inférieur était actionné par un vérin hydraulique d'une course totale de quatre-vingts centimètres. C'était un matériel robuste, ajouta-t-il.

L'ingénieur précisa encore que, depuis l'accident, cette presse n'avait pas été utilisée et qu'elle était restée en l'état, réglée avec la pression maximum, ce qui était inhabituel, mais, ajouta-t-il : « *Verdoux n'était pas un expert* ».

– Comment expliquez-vous l'accident ?

Guardac s'adossa à un fût et fit la moue en haussant les épaules.

– Je n'ai pas eu accès au rapport de gendarmerie et c'est aussi bien ainsi. Mais d'après ce que j'ai entendu dire, et cela reste à vérifier, il semblerait... qu'il ait voulu intervenir entre les plateaux au moment où la presse se refermait... puisqu'à côté de sa main écrasée, on aurait retrouvé une truelle.

– Une truelle ?... de maçon ?...

– Oui, lors des essais, nous en utilisons pour étaler les copeaux encollés. On peut donc supposer qu'il a voulu intervenir au dernier moment, alors que la presse se fermait...

– Elle se referme vite ?

– Non, je vais vous faire une démonstration.

L'ingénieur mit la pompe hydraulique en marche et le plateau inférieur remonta très lentement. Il expliqua aussi que les plateaux étaient chauffés électriquement et régulés par un thermostat

– Vous voyez, dit-il, elle ne fonctionne pas comme une presse à emboutir puisqu'elle se ferme et s'ouvre à la même vitesse, très lentement.

Bruchet s'accroupit et observa le plateau inférieur qui continuait à monter.

– Voulez-vous l'arrêter, je vous prie !

Celui-ci s'immobilisa laissant un espace d'environ quarante centimètres de hauteur. Le policier fit un clin d'œil à l'ingénieur, puis s'inclina et introduisit sa tête entre les plateaux. Il la retira en soupirant.

– Pour quelle raison a-t-il, lui, mis sa tête là... ? souffla l'ingénieur.

– C'est très imprudent... Même si la presse ne remonte pas vite... Je remarque que la commande est éloignée d'environ deux mètres. De sorte que, lorsqu'il s'est trouvé coincé, il n'a pas été en mesure de l'arrêter. Il n'y a pas de sécurité sur cette machine...

Guardac haussa les épaules et soupira... Il s'appuya sur la presse et hocha la tête.

– La sécurité ! Bien sûr ! *Stricto sensu*, vous avez raison... Mais s'il fallait assurer la sécurité partout, on ne ferait plus rien. La première des sécurités aurait été de ne pas venir ici, seul, la nuit. Quelle idée aussi d'aller fourrer sa tête là... ! Franchement, quand vous coupez votre pain ou votre viande, il ne vous vient pas à l'esprit de laisser votre main sous le couteau... hein ? On peut dire aussi qu'il n'y a pas de sécurité avec les couteaux... Et dans votre baignoire ? Vous avez une sécurité pour ne pas vous noyer ?

L'ingénieur s'était un peu emporté, contrarié que l'accident ait eu lieu dans les locaux dont il était responsable. En outre, il n'appréciait pas que l'on porte un jugement sur sa façon de travailler. Avec sa remarque sur la sécurité, Bruchet l'avait irrité. Guardac se gratta le crâne et poursuivit plus calmement :

– Peut-être a-t-il eu un étourdissement, tout bêtement… ? Les émanations de formol peuvent parfois être traîtres. Mais ce n'est qu'une supposition…

Le jeune lieutenant regarda alors vers le fond de l'atelier, en direction de la porte donnant sur le magasin.

– Cette porte est toujours fermée ?

– Depuis quatre ans que je suis ici, je ne l'ai vue ouverte que deux fois. Une fois pour faire entrer la presse et une autre, je ne sais plus pourquoi…

Bruchet hocha la tête et sourit.

– Je vous remercie pour votre collaboration. Je pense que je reviendrai encore vous ennuyer…

– Mais vous ne m'ennuyez pas du tout…

En sortant de l'atelier-pilote, Bruchet fut saisi par le froid. Il remonta son col, le temps de se diriger vers l'entrée du magasin voisin rempli de piles de panneaux gerbés jusqu'au toit. Un petit homme, emmitouflé dans un anorak et coiffé d'un bonnet lui couvrant les oreilles, l'aperçut et vint vers lui.

– Bonjour, c'est vous qui êtes de la police ? Je suis le magasinier.

– Oui, je suis le lieutenant Bruchet.

– Chatel m'a prévenu. Vous cherchez quelque chose ?

– J'aimerais voir la porte qui donne sur l'atelier-pilote.

– La voir ? Cela ne sera pas possible, venez vous rendre compte.

Dans l'allée centrale, la fameuse porte disparaissait derrière plusieurs piles d'environ huit mètres de haut. Bruchet en examina l'alignement. Le magasinier semblait surpris que la police s'intéresse à cette porte qu'il ne voyait jamais lui-même.

– Vous êtes monsieur Berlot, René Berlot ?

– C'est ça.

– Vous n'avez pas froid ici ?

– Oh ! J'ai l'habitude...

– Vous avez bien le temps de prendre un café. Je vous l'offre.

– Je vous remercie, ce n'est pas de refus, ça me réchauffera.

Les deux hommes se dirigèrent vers le hall de l'atelier-pilote où Bruchet avait repéré un distributeur. En chemin, ils devisèrent sur l'hiver et sa rigueur. Quentin apprit que Berlot s'occupait essentiellement des expéditions et qu'il était assisté de deux caristes pour charger les camions. Il attendait ce matin trois semi-remorques pour l'Espagne. Il se plaignit que les magasins ne soient pas regroupés parce que l'usine s'était développée en plusieurs étapes. Dans le prolongement du dernier avait été aménagé l'atelier-pilote.

En entendant entrer un poids lourd, le magasinier s'excusa et repartit travailler. Le policier retourna voir Guardac.

– Vous pouvez me confirmer que pour entrer ici, il n'y a pas d'autre issue que ces deux portes.

– Oui, si on excepte les fenêtres, répondit Guardac avec un sourire qui se voulait bienveillant.

Quentin remercia et sortit pour aller récupérer le dossier que le chef Courtay tenait à sa disposition. À la gendarmerie, il n'osa pas mentir sur l'état de santé de Gradenne.

– Il est au lit et je vous assure que ce n'est pas du chiqué.

– Je n'en doute pas, répondit Courtay. Prenez connaissance de ce dossier et des différents procès-verbaux au calme et ramenez-les-moi plus tard.

Le policier ne dit rien sur l'état d'avancement d'une enquête qui n'avait pas… avancé. Il n'avait pas encore la moindre idée sur une piste à suivre. En repartant, il éprouva le besoin d'aller se rassurer sur la santé de son supérieur. Si seulement celui-ci pouvait être plus précis sur les « *trucs* » à rechercher pour satisfaire la demande du procureur…

En entrant, il eut droit aux commentaires de l'aubergiste.

– Le médecin est venu et a diagnostiqué une grippe carabinée. Ma femme est allée lui chercher des médicaments. Mais ne vous faites pas de souci, elle était infirmière. Nous nous occuperons de lui. Comme vous le voyez, vous êtes nos seuls clients.

– C'est très aimable. Je vais aller le voir. Serait-il possible de déjeuner ici ? Je serai probablement seul.

– Pas de problème, il y aura de quoi vous nourrir.

Derrière la porte entrouverte de la chambre de Gradenne, Bruchet entendit un souffle puissant et régulier. Le commissaire dormait du sommeil du juste.

Il était à peine onze heures. Trop tôt pour déjeuner. Le policier passa dans sa chambre et s'installa à une petite table pour étudier le dossier des gendarmes. Il lut soigneusement toutes les dépositions, le rapport de l'adjudant, examina soigneusement les clichés et les croquis, et prit aussi connaissance des articles de presse d'une banalité affligeante.

Sur son petit carnet, il nota des questions sur des points qu'il devait vérifier. Il envisageait d'entendre en priorité les témoins de la nuit, les contremaîtres et les quatre personnes qui avaient découvert le drame. Il repensa alors à la lettre anonyme et jugea qu'il serait pertinent de jeter aussi un coup d'œil dans le bureau de Verdoux.

Des coups frappés à sa porte le tirèrent de ses réflexions. L'aubergiste, inquiet de ne pas le voir redescendre, lui annonça que le repas était servi.

– Je viens tout de suite, dit Quentin en se levant.

– J'ai craint que vous ne soyez malade, vous aussi. Vous serez au calme pour manger puisque vous êtes tout seul.

Installé à une table près de la cheminée où flambaient quelques bûches, le policier apprécia la terrine de sanglier et la côte de veau aux herbes. Il se lassa vite de la lecture du journal local et observa l'intérieur de l'auberge dont il appréciait la décoration rustique : la pierre apparente voisinait avec des murs blanchis à la chaux ou des lambris, les poutres du plafond étaient de vrais troncs d'arbre équarris à la hache et patinés par le temps.

Son esprit allait de l'enquête qui avançait peu, à Chloé qu'il avait hâte de revoir. Nouveau dans le service, il n'était pas près de demander un congé pour aller la rejoindre !

– Cela vous a plu ? demanda le patron.

– Parfaitement ! Dites-moi, c'est un peu triste, ici, l'hiver.

– Disons que c'est calme. Janvier est le mois creux. En principe, je ferme deux ou trois semaines mais cette année, j'ai des travaux à faire, alors je reste ouvert.

– Vous avez beaucoup de monde en été ?

– Heureusement oui ! La région est très touristique. Au mois de juillet, même la terrasse est au complet. J'ouvre la cloison là-bas au fond pour doubler la pièce. L'hiver, elle est condamnée, c'est toujours ça de moins à chauffer.

L'aubergiste désigna un panneau de bois lambrissé au fond de la pièce. Des tableaux y étaient accrochés ainsi que d'anciennes fourches à fenaison en bois. Cette cloison amovible cachait bien son jeu !

Quentin avait arrêté sa stratégie : visiter le bureau de Verdoux et entendre les deux contremaîtres. À l'usine, la standardiste lui fit un signe en le voyant entrer.

– Monsieur Chatel m'a demandé de le prévenir de votre arrivée.

L'ingénieur vint le rejoindre, pour une fois correctement habillé d'une veste.

– Je n'ai pu vous joindre ce matin. Nous avons la visite de cadres de la direction du siège. Ils ont appris votre venue et souhaiteraient vous rencontrer.

– C'était prévu ?

– Pas du tout, je pense qu'ils sont là précisément à cause de l'enquête. Ils ont pris un avion ce matin jusqu'à Genève et ont ensuite loué une voiture pour venir ici.

Quentin suivit l'ingénieur dans le couloir, un peu contrarié par cette visite qui le prenait à l'improviste. Il allait devoir affronter seul de grands pontes et se sentait intimidé. En outre, il n'avait rien de nouveau à leur annoncer.

Dans la salle de réunion, deux hommes d'une cinquantaine d'années l'attendaient. Chatel fit les présentations.

– Voici le lieutenant Bruchet de la PJ.

Puis, se tournant vers Quentin, il poursuivit :

– Je vous présente monsieur Lambard, directeur industriel, et monsieur Borrenzo, notre DRH. Prenez place, je vous prie.

– Je croyais que vous étiez venus à deux, commença Lambard en tirant un cigare d'un étui en cuir.

– C'est exact, j'accompagne le commissaire Gradenne mais il est un peu indisposé et a dû garder la chambre.

La grimace de Lambard irrita Quentin. Ce cadre supérieur avait sans doute pour habitude de ne s'adresser qu'à de hautes personnalités. À un commissaire passe encore, mais un jeune lieutenant était indigne de lui...

– Nous avons l'habitude de faire équipe dans la PJ. Je me flatte de remplacer le commissaire en son absence. Soyez assuré que je lui rapporterai fidèlement, et par le menu, toute notre conversation.

– J'entends bien, répliqua Lambard. J'aurais cependant aimé savoir pourquoi cette affaire n'est pas encore bouclée. La gendarmerie avait pourtant conclu que...

– Je peux vous répondre sur ce point, et le commissaire Gradenne ne vous en dirait pas davantage. En raison d'un élément nouveau, nous avons été requis par le procureur.

– Ah ! Quel est donc cet élément nouveau qui conduit à prolonger l'enquête ?

– Ce n'est pas à moi qu'il faut s'adresser, mais au procureur. Moi, je réponds à sa demande de réquisition.

– Quand pourrons-nous rencontrer le commissaire ?

Bruchet jeta un coup d'œil vers Chatel qui regardait devant lui. Décidément, ce Lambard était très désagréable. Le policier le fixa droit dans les yeux en lui assénant :

– Pouvez-vous me dire clairement ce que vous attendez de moi ? Quoi qu'il en soit, je ne suis pas autorisé à dévoiler l'évolution de l'enquête.

– Il s'agit quand même de l'un de nos cadres. Nous sommes en droit de savoir…

– Désolé ! Si vous souhaitez des informations complémentaires, adressez-vous au procureur.

La tension était palpable. Lambard n'était visiblement pas habitué à ce que quelqu'un lui résiste, et Bruchet n'avait aucunement l'intention de baisser pavillon. Borrenzo jugea bon d'intervenir pour calmer le jeu.

– Nous comprenons parfaitement vos réserves, lieutenant, mais vous devez réaliser combien cette triste affaire nous concerne.

– Ça je peux l'admettre, mais on doit d'abord déterminer avec certitude les circonstances de cet accident, afin qu'il ne puisse se renouveler.

– Ainsi que vous le dites, il s'agit incontestablement d'un accident, fort regrettable certes, mais il appartient à notre société de mettre en œuvre les dispositions de sécurité les plus pertinentes. Les conclusions de la gendarmerie nous semblent fort claires et sans la moindre ambiguïté.

Bruchet s'étonna que ces « huiles » soient aussi bien informées alors que l'affaire n'était pas officiellement bouclée. Il ne releva pourtant pas.

Borrenzo avait une façon mielleuse de parler avec un sourire niais qui déplut à Quentin.

– Il va de soi, bien entendu, que nous ferons tout notre possible pour faciliter votre tâche. Je crois savoir que monsieur Chatel vous a tenu le même langage.

Mal à l'aise, celui-ci ne pipait mot. Lambard tapota son cigare dans le cen-

drier au milieu de la table et se leva
irrité.

– Cette tragédie a des retombées que
vous n'imaginez pas. La conjoncture
économique est très mauvaise, pour ne
pas dire catastrophique. Les concurrents
ne nous font pas de cadeaux.

– Jusque-là, je vous suis, répondit
Quentin, résolu à faire front dans le
calme, mais je ne vois pas le rapport
avec l'accident.

– Si la rumeur court qu'il y a un doute
sur les circonstances de la mort de Verdoux, tout le groupe sera éclaboussé.

– Pour l'instant, il n'a jamais été question de circonstances douteuses.

– Alors pourquoi poursuivre une
enquête qui était terminée ?

Quentin sentait la moutarde lui monter au nez. Il avait l'impression de perdre
son temps. Une nouvelle fois, Borrenzo
éprouva le besoin de faire diversion.

– Continuer cette enquête accentue la
douleur de madame Verdoux et de ses
enfants. Elle ne pourra faire son deuil
qu'une fois les obsèques célébrées.

Quentin ne doutait pas que la souf-
france de madame Verdoux était le cadet

des soucis de Borrenzo. Devant cette mauvaise foi, réglé sur le mode « conversation automatique », il répondait évasivement ou bien hochait la tête selon les circonstances.

Borrenzo et Lambard étaient sûrs de n'avoir aucune chance d'aboutir en intervenant directement auprès du procureur. Faute de pouvoir travailler au corps le commissaire, ils se rabattaient sur le sous-fifre. Voyant que Quentin ne réagissait plus, ils crurent l'avoir convaincu. Du coin de l'œil, le policier observait Chatel qui semblait lui aussi impatient d'en finir.

Au moment où Lambard commença une de ses phrases par : « Quand j'étais dans La Royale »…, Quentin esquissa un sourire en se disant « *Nous y voilà* »… Lambard voulait ainsi signifier qu'avant d'occuper ce poste chez *Polybois*, il avait eu une autre carrière et pas n'importe laquelle. Le jeune lieutenant se contrefichait de ses histoires de marine : « À cette époque, j'étais corvétard… Non… j'étais déjà frégaton… enfin peu importe »…

« *Oui, peu importe…* » pensa celui-ci regardant ostensiblement sa montre pour faire passer le message. Lambard, convaincu qu'il avait atteint son but, crut dire le mot de la fin.

– Je vois que nous nous sommes compris, lieutenant. Transmettez mes respects à votre commissaire et bon retour.

Quentin remercia hypocritement les deux cadres d'avoir fait le voyage : « leur déplacement témoignait de leur attachement à l'enquête ».

– Mais c'est tout naturel, cher monsieur, susurra Borrenzo.

Avant de partir, le policier jeta un regard compréhensif vers Chatel. Il se souviendrait de la dernière parole de Lambard, « *Bon retour...* ». Tu parles ! pensa-t-il. Je partirai quand je le voudrai ou si Gradenne me l'ordonne, mais cela ne dépend pas de toi !

Dans la cour, il passa ses nerfs en shootant dans une pierre. D'instinct, il retourna au labo voir Guardac.

– Alors, vous avez vu nos grands chefs ? le taquina l'ingénieur en le voyant arriver.

– Vous êtes au courant ?

– Ici, le téléphone arabe fonctionne très bien et sans courant électrique. Puis-je vous aider ?

Quentin avait de la sympathie pour cet ingénieur, mais il se retint de lui confier ses impressions sur cette rencontre qui l'avait contrarié. Il devait adopter une attitude neutre et ne pas se laisser aller à la moindre confidence.

– Je parie que l'« amiral » vous a raconté ses batailles navales...

Pour toute réponse, Bruchet fit une petite mimique qui fit rire l'ingénieur.

– Je souhaiterais revoir la presse, vous permettez ?

– Faites comme chez vous... Je vous laisse y aller seul.

Devant la machine, sur une caisse vide, il étala les photos macabres du dossier de gendarmerie. Son regard allait et venait de la presse aux photos. Il se décida à faire une inspection méthodique des lieux, ne négligeant aucun recoin, sans savoir précisément ce qu'il cherchait. L'atelier était bien éclairé et il y voyait comme en plein jour.

Une couche de fine poussière recouvrait le sol, les machines, les tables qui les supportaient, les paillasses qui garnissaient le mur contre le labo, les étagères garnies de bidons et de produits d'essais, les fûts et les caisses.

Les placards n'étaient pas fermés à clé, ce qui facilita la tâche du policier. Alors qu'il en examinait le contenu, sous les paillasses, son attention fut attirée par quelque chose d'insolite qui traînait sur le sol derrière le pied d'une table.

Stupéfait, il constata qu'il s'agissait d'une mèche de cheveux. Des cheveux châtain, légèrement ondulés...

Chapitre Quatre

Bruchet déposa les cheveux sur le bureau de Guardac.

– Ça vous dit quelque chose ? demanda Quentin.

– Où avez-vous trouvé ça ?

– Dans l'atelier, à côté des paillasses.

L'ingénieur examina les cheveux, interloqué, fit la moue et appela un collaborateur.

– Pierre, vous avez une minute ?

Un homme entra, bedonnant, le crâne lisse comme un œuf.

– Je vous présente Pierre Martinot qui est mon technicien.

Puis, s'adressant à Martinot, il poursuivit :

– Je sais bien que ça ne peut pas être à vous, mais vous savez d'où ça peut venir ?

Le technicien examina la mèche de cheveux, puis il leva son regard vers Guardac :

– Non ! Je ne sais pas à qui ils peuvent appartenir. Où les avez-vous trouvés ?

– Venez, je vais vous montrer, proposa Quentin.

Il les entraîna jusqu'à l'endroit de sa découverte. L'ingénieur et le technicien regardèrent tout autour et restèrent perplexes.

– Qui fait le ménage ici ? demanda Quentin.

Martinot expliqua que le nettoyage de ce local était effectué par les laborantins ou par lui-même par souci de ne laisser intervenir personne de l'extérieur qui risquerait de perturber d'éventuels essais en cours. Le dernier « ménage » remontait à début janvier. Martinot affirmait avoir passé l'aspirateur partout.

Les circonstances actuelles méritaient une inspection plus complète. Guardac avait ouvert le placard sous la paillasse et semblait intrigué.

– C'est bizarre, dit-il, j'aurais juré que j'avais rangé ici les essais préliminaires pour les cercueils.

À ce mot, Quentin tourna la tête.

– Cercueils, vous avez parlé de cercueils ?

– Oui, je vous en dirai plus si vous voulez sur ce projet insolite qui est actuellement en sommeil.

– Décidément, ce lieu est sinistre et peu fréquentable : après un mort, des cercueils… Qu'allons-nous encore découvrir ?

– Noël, venez voir, j'en ai encore trouvé, cria presque Martinot.

Guardac se précipita vers son collègue accroupi au pied d'une caisse posée sur des cales, occupé à tirer à lui à l'aide d'une tige métallique, d'autres mèches de cheveux.

Quentin sortit un sac plastique de sa poche et y introduisit délicatement les cheveux.

– Dites-moi, poursuivit-il, ces mèches pourraient-elles appartenir à Verdoux ?

– Certainement pas. Il avait conservé une coupe de cheveux à la « para » qu'il devait rafraîchir à la tondeuse une fois par semaine.

– Les voilà vos essais de cercueils, dit Martinot. Dans le placard d'à côté !

– C'est vous qui les y avez mis ?

– Pas du tout, je n'ai touché à rien.

– Encore un mystère ! Je ne les ai jamais rangés là où vous les avez trouvés. Ce placard est affecté aux essais des nouveaux panneaux ignifugés. Mais qui donc a semé cette pagaille ?

Guardac semblait à la fois soucieux et contrarié.

– Bon ! conclut-il. Nous n'allons pas passer la semaine là-dessus. Pierre, voulez-vous remettre ces essais là où ils auraient dû rester, et n'en parlons plus.

– Voulez-vous m'expliquer de quoi il retourne ? Cela m'intrigue, assura Quentin.

– Volontiers, mais ne restons pas ici, il ne fait pas chaud.

Dans son bureau, Guardac commença ses explications sur le « *projet cercueil* ».

En réalité, c'était lui qui l'avait rebaptisé ainsi car ce projet s'appelait initialement « *projet thana* », du grec thanatos signifiant mort. Il ajouta avec humour que ce nom de code évoquait une opération militaire, en phase avec la mentalité des grands chefs.

– La mort, expliqua-t-il, est un véritable marché qui représente du chiffre d'affaires, des emplois et... du profit avec les funérailles, les monuments funéraires et tout ce qui tourne autour… Une activité purement commerciale qui exploite le chagrin ! À quoi bon s'endetter pour acquérir un cercueil en ébénisterie noble, qui ne sera vu que quelques heures avant de pourrir en pleine terre ! Vous me trouvez sans doute cynique, n'est-ce pas ?

– Non, pas forcément ! En assistant à des obsèques, je me suis fait souvent cette réflexion. À peine la famille éloignée pour pleurer son mort, les fossoyeurs se dépêchent de descendre la bière, parfois montent dessus avec leurs godillots pleins de boue pour la recouvrir aussitôt en employant des râteaux…

– Une fois en terre, surenchérit l'ingénieur, le client ne viendra pas se plaindre au fournisseur. En outre, la crémation, restée longtemps marginale, se développe et a même inspiré à un de nos directeurs un modèle de cercueil en particules de bois. Il suffit que le produit soit présentable et d'un coût attractif. Après tout, si c'est pour brûler…

– Je commence à comprendre, dit Quentin.

– J'ai été chargé de mettre cette technique au point malgré la difficulté à mouler en relief. Tant que c'est plat, ça va… et encore. Ce n'est pas toujours facile de faire des panneaux, alors, avec des formes complexes c'est plus ardu.

– Où en êtes-vous ?

– Nous avons fait de nombreux essais sur des modèles réduits. Mes rapports et mes propositions semblent être restés dans un tiroir. Pourtant, ce serait tout à fait réalisable, bien qu'un peu compliqué.

– Abandonné ?

– Je ne sais pas. Peut-être. Ce ne serait pas le premier projet sur lequel je travaille sans résultat. Dans le cas présent, je pense plutôt que le moment n'est pas opportun.

– Le « consommateur » n'est pas encore prêt ?

– Non, le public achète ce que l'on sait lui vendre ; c'est une question de marketing et d'investissement dans des outillages ou dans le commercial. En ce moment, les caisses sont vides… enfin pas pour tout le monde !… Quand je vois que nos « huiles » prennent l'avion pour une simple réunion… qui, en outre, nous fait perdre du temps !

Bruchet était songeur, l'air préoccupé. Il hésita un moment et se décida à demander :

– Croyez-vous que l'accident de Verdoux ait un rapport quelconque avec ce projet ?

– Non ! Je ne crois pas.

– Ne pensez-vous pas qu'il faisait lui aussi des essais sur le *projet thana* ?

– Qu'est-ce qui vous fait penser ça ?

– Oh ! Un simple rapprochement de faits. L'idée m'a effleuré quand vous avez constaté que les produits d'essais des cercueils avaient été déplacés par quelqu'un d'autre que vous…

– Ah ! Je vois… Mais je vous ai déjà dit que j'ignorais sur quoi il travaillait, la nuit fatidique.

– Je vous remercie. Je vais vous laisser pour ce soir. Attendez-vous néanmoins à me revoir…

Bruchet avait prononcé cette phrase avec lassitude, comme pour s'excuser de venir fouiner sans savoir précisément que rechercher.

– Puis-je vous poser une question ? demanda Guardac.

– Je vous en prie, mais je ne vous garantis pas d'y répondre.

– Je veux bien admettre que Verdoux ait eu une fin étrange. Mais comme il était seul, cela ne peut être qu'un accident, vous ne pensez pas ?

– C'est à cette conclusion que les gendarmes sont parvenus. Mais le procureur a un doute, et c'est pour cette raison que nous sommes ici. Pour refermer définitivement le dossier, il faudrait qu'un élément nouveau confirme la thèse de l'accident, mais je ne vois pas encore lequel… Alors, je cherche.

– Eh bien ! Bon courage ! Et à demain, peut-être.

En sortant de l'atelier, Quentin était perplexe : cette réunion avec les « huiles » du siège avait cassé son élan. Il se demandait si, au fond, Gradenne n'avait pas raison. Mais quel crédit accorder aux commentaires d'un homme brûlant de fièvre ?

Il lui semblait prioritaire de faire procéder à une analyse ADN de ces cheveux « anonymes ». Plus tard, il reviendrait sur les lieux afin de s'imprégner de l'atmosphère du travail de nuit et mieux connaître le personnel. Il repensa à la dernière parole de Lambard : « *Bon retour* »... signifiait en termes courtois « *Fichez le camp, on vous a assez vu* ». Il entendait poursuivre ses investigations à sa guise et n'avait pas à tenir compte des injonctions de cet amiral d'opérette. Pour qui se prenait ce Lambard ?

Il n'osa pas retourner voir Chatel, de peur de tomber sur « l'amiral ». Autant rester discret et ne pas faire de vagues. Il sentait d'instinct que Chatel lui était favorable, même s'il se demandait qui avait bien pu prévenir le siège de son arrivée. Il pensa avec bon sens que ces deux hauts personnages n'étaient pas du genre à fréquenter les ateliers de peur de se salir. Comme il ne risquait pas de les y rencontrer, la voie devait être libre.

Le local des contremaîtres ressemblait plutôt à une cabine meublée seulement d'une table recouverte de documents, d'un téléphone et d'une chaise. Un homme y était assis en train d'écrire sur un registre de fabrication.

– Bonjour, vous cherchez quelqu'un ?

– Je suis le lieutenant Bruchet, de la PJ...

– Ah ! C'est vrai, Chatel m'a parlé de vous. Entrez et fermez la porte, on s'entendra mieux.

– D'après ma liste, vous êtes Denis Jantet, c'est bien ça ?

– Tout à fait, je peux faire quelque chose pour vous ?

– Peut-être... Je suppose, puisqu'on vous a parlé de moi, que vous connaissez les raisons de ma présence ici.

– Vous enquêtez sur l'accident de monsieur Verdoux...

L'homme, assez corpulent, la quarantaine alerte et les cheveux grisonnants, se montra aimable, ne manifestant aucune animosité envers quelqu'un qui venait le perturber dans son travail. Il était de repos la semaine précédente, mais il avait appris la nouvelle le matin même en allant acheter son journal vers sept heures. Ce genre d'information circulait vite ! Comme il n'arrivait pas à y croire, il avait couru à l'usine et avait croisé Pourtaud, le chef de l'équipe C, complètement bouleversé.

– Savez-vous où je pourrais le rencontrer ?

– Il est de repos cette semaine et il en a besoin. Dans sa petite ferme en dehors de Berthonex, à droite en sortant sur la route de Pontarlier, il élève juste quelques génisses.

– Auriez-vous entendu parler de quelque chose d'inhabituel ?

– Ma foi non !... Vous savez, nous sommes toujours sur la brèche dans cette usine. C'est bien rare qu'il n'y ait pas une panne à un moment ou à un autre. La nuit, il faut parfois aller réveiller l'électricien parce qu'un moteur a grillé, ou bien nous devons faire usiner une pièce qui vient de casser... Nous travaillons avec un artisan mécano qui a des machines-outils et que j'ai déjà sorti du lit à deux heures du matin pour me tourner un axe de ventilo... Alors, vous savez, dans tout ça, un détail même insolite peut passer inaperçu...

– Je vois... Dites-moi franchement. Comment perceviez-vous Verdoux ? Je vous assure que ce que vous me direz restera entre nous.

– C'est assez délicat !... Comment vous dire ? C'est déjà pas facile de parler des absents... alors des disparus !

Jantet était chez *Polybois* depuis la création de l'usine. Il était resté un an à la presse avant de passer chef d'équipe. Il avait connu l'ancien directeur qui selon lui était... différent. Par ce terme anodin, il laissait entendre son peu d'estime pour Verdoux.

– Dans le pays, on a coutume de ne pas dire du mal des morts...

– J'ai compris. Pouvez-vous néanmoins être plus précis. Je vous rappelle que j'enquête sur la mort d'un homme dont j'ai besoin de cerner la personnalité.

– D'une phrase, je dirais que c'était un ancien militaire qui avait du mal à tourner la page.

Comme Quentin le poussait à des confidences, Jantet reconnut que Verdoux se mêlait de tout et donnait toujours l'impression qu'il passait des troupes en revue. Il ne ratait pas une occasion de se vanter de son passé, genre « *Quand j'étais à l'école d'officiers...* » ou « *En Algérie, j'ai fait ci, j'ai fait ça...* », quand ce n'était pas en parlant d'un ouvrier qui avait été maladroit, « ...*il mériterait le conseil de guerre...* ».

En écoutant le contremaître, Quentin se rappelait les paroles de Lambard : « *Quand j'étais dans La Royale...* ».

– Si je vous comprends bien, il n'était guère apprécié.

Pour toute réponse, Jantet fit une petite mimique qui signifiait clairement : « *A vous de juger...* ».

– Avez-vous été surpris que Verdoux fasse des essais la nuit, tout seul dans l'atelier-pilote ?

– Je vous répète que rien ne m'étonnait venant de lui. Sans trahir un grand secret, Guardac et lui ne faisaient pas bon ménage. Verdoux voulait absolument montrer qu'il était le chef, y compris au labo.

– Comment expliquez-vous l'accident ?

– Franchement, je ne l'explique pas. C'est aussi stupide que de faire la sieste sur une voie de chemin de fer...

– Je vous remercie. Je vais poursuivre ma visite. On se reverra certainement.

Bruchet sortit et replongea dans le bruit. Pendant près de deux heures, il observa minutieusement chacun des postes de fabrication, suivant la production depuis les stocks de rondins et les résidus de scierie jusqu'aux piles de panneaux. Il échangeait à chaque fois quelques mots avec les opérateurs, dans la mesure où ceux-ci étaient disponibles et où le bruit permettait de s'entendre.

En reprenant la route à la sortie de l'usine, il décida d'aller voir Pourtaud chez lui. Dans la direction de Pontarlier, il trouva sans peine la ferme qui était éclairée et s'engagea sur le chemin. Dans la cour, devant une belle maison de pierre, un chien aboya sans agressivité. C'était un husky magnifique qui s'approcha de la voiture et se dressa contre la portière.

Sur le seuil de la maison, un homme rappela le chien qui obéit immédiatement et vint s'asseoir aux pieds de son maître.

– Bonjour, monsieur. Je cherche la ferme de Julien Pourtaud.

– Vous êtes à la bonne adresse.

– Je ne voulais pas vous déranger à cette heure, je suis le lieutenant Bruchet de la PJ, et j'enquête sur l'accident de monsieur Verdoux.

– Ah ! C'est vous ! Je ne vous attendais que demain. Mon collègue m'a prévenu. Mais ne restez pas dehors, vous avez bien cinq minutes, à présent que vous êtes là…

– Je ne resterai pas longtemps.

Dans l'entrée, Quentin sentit une bonne odeur de soupe qui lui flatta les narines. Il devait s'agir de cette potée, spécialité locale dont lui avait parlé l'aubergiste, où mijotait longuement une saucisse de Morteau et que l'on arrosait d'un Poulsard. Une grande pièce tenait lieu à la fois de cuisine et de salle à manger, et de l'ensemble se dégageait une impression de confort paisible.

Pourtaud était un homme trapu aux cheveux blancs, probablement en fin de carrière. Il se dit honoré par la visite de Quentin et insista pour lui faire goutter son vin.

Celui-ci ne pouvait refuser au risque de froisser le brave homme, mais il redoutait de boire une horrible piquette de fabrication artisanale. Mais Pourtaud lui servit du vin jaune accompagné de noix.

– Santé !, dit-il en levant son verre.

Quentin fut vite rassuré par la qualité de ce qu'il goûtait. L'enquête n'avançait pas beaucoup, mais son palais venait de faire une découverte mémorable.

– Il est bon, hein ? Je n'en produis pas beaucoup, juste pour moi et ma famille. Je n'ai plus vingt ans et la vigne c'est trop de travail. Heureusement que mes fils me donnent un coup de main.

Pourtaud était heureux de bavarder. Il expliqua à Quentin qu'il ne pouvait plus vivre de son exploitation comme son père ou son grand-père avant lui. Il avait toujours travaillé en dehors de l'agriculture. Même s'il avait gardé un tracteur, il ne cultivait plus, se contentant d'élever une dizaine de génisses pour l'embouche, en plus de quelques poules. Quentin l'amena à parler de *Polybois*. Sa macabre découverte l'avait rudement affecté car, en y repensant, il fut particulièrement ému.

Au cours de l'échange qui suivit, il confirma en tout point la déposition qu'il avait faite aux gendarmes : il n'avait pas revu Verdoux vivant, son collègue Francis Mollex l'avait simplement prévenu de sa présence lors de la relève à quatre heures.

– Comment étaient vos relations avec votre patron ? Excusez-moi d'être direct.

Pourtaud reposa son verre et regarda Bruchet en face.

– Moi, personnellement, je n'ai pas eu trop à m'en plaindre. Peut-être respectait-il mes cheveux blancs… ? En tout cas, je vais vous parler franchement, je ne l'appréciais pas beaucoup. Il avait une façon de surveiller et d'engueuler le personnel que je n'aimais pas, avec son habitude de faire ses tours d'inspection à n'importe quelle heure, de jour comme de nuit. Vous verrez ce que vous en diront mes collègues.

Il expliqua ensuite pourquoi il avait été amené à aller au labo cette nuit-là, exceptionnellement, car les contremaîtres disposaient sur place des instruments nécessaires aux tests de contrôle. À cause d'un incident sur une trieuse, il avait dû prélever un échantillon pour faire un test de tamisage. De jour, il aurait suffi de passer un coup de fil au labo, et quelqu'un s'en serait chargé. De nuit, il avait dû y aller seul.

Il n'avait pas été surpris d'y voir de la lumière mais n'avait pas compris pourquoi on ne pouvait y entrer. Une odeur insolite l'avait aussi intrigué. Même si la pompe hydraulique fonctionnait, son bruit n'aurait pas dû empêcher Verdoux d'entendre quand, à plusieurs reprises, il avait frappé à la porte et à la fenêtre. Lorsqu'il avait téléphoné sans succès depuis son local, il avait commencé à se douter qu'il s'était passé quelque chose d'anormal. Avec Nicolas Rimaud, l'électricien, Daniel Hannet, l'affûteur et Gaston Fertet, un cariste, qui ne travaillaient pas directement sur la chaîne, ils avaient décidé d'intervenir.

Gaston Fertet avait brisé la vitre et était entré derrière Pourtaud. En évoquant ce moment difficile, bien qu'il ait avoué ne pas apprécier Verdoux, le contremaître eut un moment d'émotion qui lui noua la gorge. Il se reprit et poursuivit :

– Vous imaginez le tableau ? Épouvantable !

– Je vous comprends, j'ai vu les photos.

– Gaston m'accompagnait. Quand les copains ont vu nos mines, ils ont vite compris. Je n'avais plus de jambes et Gaston était plié en deux, en train de vomir dans la neige. J'ai demandé à Daniel Hannet d'appeler les gendarmes.

– Avant qu'ils n'arrivent, est-ce que quelqu'un était toujours posté à la fenêtre et à la porte ?

– Absolument. J'ai tout de suite réalisé qu'il était important de garantir l'état des lieux tels que nous les avions trouvés. J'ai exigé de Nicolas Rimaud qu'il demeure à la porte, et moi je suis resté avec Gaston à la fenêtre. Les gendarmes sont arrivés très vite, je suis entré avec le chef Courtay. Lui aussi a été impressionné. Ensemble, nous avons constaté que la clé était sur la porte à l'intérieur. C'est lui qui l'a ouverte. Il a demandé à son jeune collègue d'appeler des renforts. Après, j'avoue que j'ai un trou de mémoire. Chatel est venu très vite, a pris la production en mains car je n'en étais plus capable. Un chic type, ce Chatel. Le lendemain, il m'a téléphoné pour me dire que je pouvais me reposer puisque l'usine était arrêtée. Après, c'était ma semaine de repos. J'ai beaucoup de mal à dormir depuis cette nuit-là...

– Que pensez-vous de la conclusion des gendarmes ?

– Que voulez-vous dire ?

– En d'autres termes, estimez-vous aussi que la mort de Verdoux est un accident ?

– Dame ! je suis bien placé pour savoir qu'il était enfermé à l'intérieur et qu'il n'y avait personne d'autre... Je ne vois pas d'autre explication.

– Comment pouvez-vous être sûr qu'il était seul ?

– Avant l'arrivée des gendarmes, nous avons surveillé les issues. Après, ils ont fouillé partout. S'il y avait eu quelqu'un, ils l'auraient trouvé...

– Vous souvenez-vous d'un détail particulier de cette nuit-là ?... Quelque chose d'inhabituel, en dehors de l'accident.

– Ma foi non, j'avais eu ma dose !

– Je vous remercie. Je vais vous laisser. Mais il est possible que j'aie besoin de vous revoir.

– Revenez dîner, cela me fera plaisir.

En arrivant à l'hôtel, Quentin s'enquit sans tarder de la santé de son chef.

– Il a l'air un peu mieux, dit l'aubergiste fier de jouer au médecin, mais il a toujours une forte fièvre. Avec la grippe, il n'y a malheureusement rien à faire. Il faut attendre que ça passe.

Quentin monta et entrouvrit doucement la porte de la chambre. Gradenne
ne dormait pas.

– Entrez, Bruchet, mais tenez-vous à
distance, sait-on jamais, je ne veux pas
vous contaminer. Vous rentrez bien tard,
dites-moi…

– D'abord, comment vous sentez-vous ?

– Pas terrible, j'ai essayé de me lever
pour me raser, mais je me suis vite
recouché, la tête me tournait. Et vous,
qu'avez-vous découvert ?

– À dire vrai, pas grand-chose. Je crois
avoir un bon contact avec le personnel.
Le contremaître de l'équipe C, celui qui a
découvert Verdoux, m'a fait l'effet d'un
brave homme encore tout retourné par
ce drame. Il y a aussi quelques bizarre-
ries au labo que j'aimerais bien éclaircir.

– Racontez-moi tout ça, je suis curieux.

Quentin s'assit à côté de Gradenne qui
se redressa sur son oreiller, et reprit par
le menu toute son activité de la journée.

– Eh bien, vous n'avez pas chômé,
Bruchet. À ce train-là, nous serons vite
rentrés.

Quentin expliqua les circonstances de
l'accident de Verdoux telles qu'elles lui

apparaissaient, en rapprochant ses propres constatations du rapport de l'adjudant et des commentaires de Guardac. Ensuite, il raconta en détail la rencontre imprévue avec Lambard et Borrenzo. Il annonça aussi son intention de retourner cette nuit dans l'usine.

Gradenne s'irrita contre ces cadres supérieurs qui veulent tout régenter depuis leur siège parisien.

– Mais pour qui se prennent-ils ? Non mais ! Ils espèrent sans doute nous diriger ? Je voudrais voir ça ! Ils voudraient que l'on parte ? Eh bien, nous resterons le temps qu'il faudra, et plus si ça peut les chagriner !

Après avoir frappé à la porte, une femme rondelette et souriante entra. Elle portait un plateau avec une bouteille d'eau minérale et un bol fumant.

– C'est l'heure de vos gélules, dit-elle.

– Je vous présente ma tortionnaire, dit Gradenne avec un clin d'œil. Madame Moutiers me soigne comme si j'étais un roi.

– Bonsoir, madame, le malade est-il docile ?

– Oh oui ! Je ne l'entends pas. Si tous mes patients avaient été comme lui, je n'aurais pas lâché le métier.

– Allez donc dîner, Bruchet, vous devez avoir faim. Prenez des forces pour cette nuit.

– Merci, patron. Je vous raconterai tout ça demain.

Quentin s'attabla dans la salle à manger. La journée avait été bien remplie, il était satisfait. Il avait craint en allant voir Gradenne que celui-ci ne trouve à redire sur sa méthode ou qu'il lui reproche d'être passé à côté d'une démarche importante. Manifestement, son chef lui conservait sa confiance. Même s'il n'avait guère le choix, il aurait pu déverser sur son subordonné des flots de conseils pour marquer son autorité. Ce soir, il était heureux de voir que le commissaire ferait en sorte de poursuivre l'enquête jusqu'au bout, ne serait-ce que pour contrarier Lambard.

Il finit son repas sur un Comté de plus de dix-huit mois, dégusté sur un pain de campagne, arrosé d'un Savagnin qu'il savoura devant la télévision, détendu. Il serait en forme pour rejoindre l'usine quand l'équipe A serait en pleine activité.

En repensant à l'affaire, il constata qu'il n'avait eu encore aucun écho favorable sur Verdoux. Celui-ci aurait-il été puni par une justice divine ? Bruchet sourit à cette pensée.

Dans les ateliers, il retrouva l'ambiance nocturne qu'il avait connue la veille : les mêmes machines et le même bruit assourdissant.

Dans la cabine des contremaîtres, il ne trouva personne, mais s'y installa car il y faisait plus chaud. Par une grande fenêtre, on voyait toute la chaîne de production. Un homme le rejoignit, très grand, assez jeune, les cheveux longs et blonds.

– Bonjour, je suppose que vous êtes de la police ?

– Bonsoir ! Je suis effectivement le lieutenant Bruchet. Je vois que l'on m'a déjà annoncé. Sauf erreur de ma part, vous êtes Marc Bonnier, le chef de l'équipe A. Je me suis invité dans l'usine ce soir pour me rendre compte de l'ambiance de nuit. Cela ne vous dérange pas ?

– Pas du tout, répondit Bonnier.

C'était un homme à l'aspect sympathique mais qui ne souriait pas facilement. Plutôt taciturne, il donnait l'impression d'être plus à son aise dans les bois à chercher des champignons que dans un salon. Il restait sur le pas de la porte et ne disait rien. Quentin se sentit un peu gêné, prenant conscience que c'était lui l'intrus. Bonnier avait une chaîne à faire tourner et n'était pas disponible.

– Je peux repasser un peu plus tard, si vous voulez.

– Non, j'ai un moment. Je viens de faire le tour des postes et tout a l'air de bien aller. Pourvu que ça dure !

– Il y a longtemps que vous êtes chez *Polybois* ?

– Ça fait quatre ans.

– Donc vous étiez là avant l'arrivée de Verdoux.

Bonnier esquissa un sourire à peine perceptible, mais que Bruchet remarqua.

– Avez-vous déjà eu des ennuis avec lui ?

– Tout dépend de ce que vous appelez ennuis…

– Vous a-t-il critiqué, par exemple ?

– Bien entendu, mais je ne suis pas le seul. Si ce ne n'était que cela !

– Que voulez-vous dire ?

Bonnier haussa les épaules avec lassitude. Tout dans son attitude laissait entendre : « *À quoi bon ! À présent qu'il est mort...* ». Il tira la porte pour atténuer le bruit de l'atelier, et se cala contre la paroi opposée à la fenêtre, de façon à toujours garder un œil sur la chaîne.

– Une nuit où nous avons eu une panne de hacheuse, le silo de réserve de copeaux était presque vide, si bien que nous avons été contraints d'arrêter la production. Manque de chance, cette nuit-là, Verdoux a fait une tournée d'inspection et m'a engueulé devant les compagnons parce que la chaîne était arrêtée.

– Ce n'était pas de votre faute...

– Bien sûr, mais il lui fallait un lampiste. Il me reprochait de ne pas avoir garni le silo avant la panne. Comment pouvais-je deviner que la hacheuse allait tomber en rideau ?

– Qu'avez-vous répondu ?

– J'étais furax. Je l'ai mal pris. Imaginez-vous, à une heure du matin, alors que vous vous démenez pour réparer au plus vite, l'intervention de ce petit caporal monté sur ses ergots.

– Lieutenant dans l'active, monsieur Bonnier, rectifia Quentin.

– Si vous voulez, mais dans l'usine c'était un petit chef. En plus, j'avais dit au personnel qui ne participait pas à la réparation, de prendre la pause et de casser la croûte afin de gagner du temps. Ça, il ne l'a pas compris.

– Et alors ?

– Nous avons eu des mots. Je me suis foutu en boule. Devant mon attitude, il a baissé pavillon et est reparti. Mais deux jours plus tard, je recevais une lettre d'avertissement. Voilà le bonhomme !...

– Je vois...

– À partir de ce moment-là, il s'est créé un syndicat. Inutile de vous dire qu'entre le délégué syndical et lui, c'était la guerre.

– Qui est ce délégué ?

– Un mécanicien de l'équipe de maintenance, actuellement en congé.

– Dommage, j'aurais aimé lui parler. Comment se nomme-t-il ?

– Michel Petrod. C'est un gars qui a de la bouteille et qui n'a pas froid aux yeux. Verdoux n'avait pas la partie facile avec lui.

– Je vous remercie de me parler ouvertement. Je vais encore faire un tour dans l'usine et nous nous reverrons plus tard.

Quentin continua à parcourir le hall principal. Son esprit vagabondait : son estomac lui rappela la salle à manger de l'auberge, et par association d'idées, il repensa à la cloison amovible. En regardant distraitement le manège bien orchestré du personnel à la sortie de la presse, son attention fut attirée par les manipulations d'un cariste qui coinçait un carton bleu dans chaque pile de panneaux avant de l'évacuer vers le magasin. Ce carton sur lequel il écrivait quelques mots était plié en deux : une moitié coincée dans la pile et l'autre bien visible.

Quentin voulut en avoir le cœur net :

– Bonsoir, dit-il à l'homme un peu surpris. Pouvez-vous me dire à quoi sert ce carton ?

– Voyez, j'inscris la référence des panneaux, le jour et l'heure.

– De sorte qu'il est possible de repérer rapidement ce qui a été fabriqué à une certaine date.

– À condition que les panneaux ne soient pas déjà partis...

– Je comprends, mais ceux de la semaine dernière, savez-vous par exemple où a été rangée la production de la fameuse nuit ?

L'homme fit une grimace et soupira. Il avait manifestement compris qui était Quentin sans que ce dernier se soit présenté. Il pensait que ce serait à lui de faire les recherches, en plus de son travail et, de toute évidence, cela ne l'enchantait pas.

– C'est toujours possible, bien sûr, reprit-il sans enthousiasme, mais il faudrait examiner tout le magasin... le mieux serait de voir avec les caristes des équipes B et C.

– Je vous remercie. Bonne nuit ! Je vais suivre votre conseil.

Quentin n'avait plus qu'à retourner dormir à l'hôtel. Dès le lendemain, il vérifierait une idée qui venait de germer dans son esprit...

Chapitre Cinq

Vers cinq heures, Quentin fut réveillé par l'envie de retourner à l'usine pour contrôler les points qui l'avaient intrigué la veille. Mais il était encore trop tôt s'il voulait laisser à l'équipe B le temps de prendre son rythme. Il n'irait là-bas que vers six heures.

Sa couette remontée jusqu'au ras du menton, il se cala sur l'oreiller, bien détendu dans le silence de la nuit, et réfléchit sereinement à l'affaire qui l'avait conduit dans ce trou perdu et glacé.

Le procureur avait un doute sur les circonstances de cette mort étrange. Que voulait insinuer l'auteur de la lettre anonyme ? En même temps, Quentin espérait que cette affaire lui apprendrait son métier auprès de ce supérieur qui l'intimidait un peu.

Depuis qu'il enquêtait lui-même, à sa façon, il percevait dans cette usine une atmosphère lourde et trouble, une accumulation d'injustices, de rancœurs et de frustrations ? Il avait mesuré combien la victime se révélait antipathique laissant peu de regrets.

Si Verdoux s'était suicidé, quelle étrange façon de se donner la mort ! Et pourquoi ? Sans lettre d'explication, sans raison manifeste ? Une mort naturelle… ? Verdoux avait la réputation d'un homme en pleine santé… C'est alors que lui revint une remarque de Guardac au sujet de la toxicité du formol… Il aurait pu succomber à un malaise et s'effondrer sous la presse confirmant la thèse de l'accident à la suite d'une défaillance humaine. Dans ce cas, une autopsie apporterait un éclairage décisif. Pourquoi l'adjudant Vatrin ne l'avait-il pas demandée ? Quentin repensa alors à l'intention de Gradenne de rendre visite à ce gendarme à l'hôpital.

Quant à l'hypothèse d'un meurtre, il y avait un cadavre et la presse, arme du crime, était restée sur les lieux ! L'assassinat de Verdoux ne manquait pas de mobiles, mais il manquait le meurtrier !

Arrivé à l'usine, Quentin fut surpris par un relatif silence. Le bruit provenant du hall principal était plus faible que les autres jours. En réalité, la chaîne était en panne, la presse était ouverte et le tapis roulant arrêté. Seules les ponceuses « ronflaient » normalement.

Personne dans la cabine des contre-maîtres ! Dans le hall principal, le personnel s'occupait à balayer et à ranger pour les uns, à graisser ou encore à changer des pièces pour les autres… De loin, on entendait le bruit sourd des hacheuses.

– Vous cherchez quelque chose ?

Un homme d'environ trente-cinq ans, couvert de poussière, le regardait avec un sourire bienveillant.

– Bonjour, je suis le lieutenant Bruchet de la PJ et…

– Je ne vous attendais pas si tôt, coupa l'homme. Mon collègue m'a parlé de vous. Je suis Francis Mollex. Vous tombez mal, nous avons une panne de séchoir. On en a encore pour une bonne heure.

Il s'éloigna un peu et donna de grandes claques sur sa combinaison pour en chasser la poussière. De taille moyenne, svelte, il portait un collier de barbe qui le faisait ressembler à un prédicateur américain.

– J'ai dû entrer dans le séchoir à copeaux, et ce n'est pas la « peuf » qui manque…, comme on dit dans le métier en parlant de la poussière ! Pour l'instant, je ne peux rien faire de mieux. Pendant que les mécanos réparent, je fais remplir le silo de copeaux verts.

– Vous avez souvent des pannes ?

– S'il n'y en avait pas, on s'ennuierait, répondit Mollex en clignant de l'œil. Au moins, cette nuit, on ne risque pas de se faire engueuler…

– Pourquoi donc ?

– Parce que Verdoux ne viendra pas nous surveiller !

Ils s'installèrent dans le local où un radiateur électrique dispensait une douce chaleur. Mollex s'assit sur la table et invita Quentin à prendre la chaise. Contrairement à ce qu'on lui avait dit, le contremaître n'était pas le dernier à avoir vu Verdoux vivant. Il l'avait bien rencontré vers vingt-trois heures, en effet, lorsque celui-ci lui avait demandé de lui faire apporter un seau de colle et un sac de copeaux pour CI et CE.* Mais le tout dernier à l'avoir vu était l'opérateur qui lui avait apporté le matériel à l'atelier-pilote.

– Puis-je lui parler ? demanda Quentin.

– Sans problème, je vais le faire appeler.

Mollex sortit de la cabine et, avisant un ouvrier, il lui cria :

– Tu peux demander à Ahmed de venir ?

En attendant que ce dernier les rejoigne, Quentin et le contremaître firent plus ample connaissance. Mollex était chez *Polybois* depuis une dizaine d'années. Il venait de se marier avec une institutrice et ne cachait pas que le travail « posté » en 3x8 lui pesait.

– Ce n'est pas le Pérou, mais je suis bien content d'avoir ce travail. Il y a quelques mois, la rumeur a couru que l'usine pourrait fermer, alors cela refroidit. Dans le coin, les emplois ne courent pas les rues.

---

* Dans le jargon de l'usine, CI et CE signifiaient Couche Intérieure et Couche Extérieure.

Un quart d'heure plus tard, un homme brun, trapu, la peau basanée, lui aussi couvert de poussière, vint frapper à la porte.

– Entre, Ahmed, on va se serrer un peu. Monsieur l'inspecteur voudrait te parler.

– Bonjour, je suis le lieutenant Bruchet de la PJ. J'enquête sur les circonstances de la mort de monsieur Verdoux.

Ahmed semblait impressionné.

– Voulez-vous que je vous laisse ? proposa Mollex.

– Non, pas du tout, mes questions n'ont rien de secret. Vers quelle heure avez-vous apporté les copeaux à monsieur Verdoux ? demanda Quentin à Ahmed.

– Vers onze heure trente, à peu près...

– Avez-vous remarqué quelque chose de particulier ?

Ahmed réfléchit un moment, les yeux baissés.

– Non, dit-il enfin. Je l'ai à peine vu. J'ai posé les copeaux et le seau de colle à l'entrée de l'atelier et c'est tout.

– Était-ce une colle particulière ?

Mollex sourit, tandis qu'Ahmed regardait Bruchet, surpris.

– Non, j'ai pris la colle normale, avant les encolleuses…

– Quelle est votre fonction dans l'usine ?

– Je suis cariste. Mais quand il y a une panne sur la chaîne, je donne un coup de main ailleurs. J'étais dans le séchoir quand on m'a appelé.

Bruchet regarda Ahmed avec un intérêt évident.

– Cela tombe bien, dit-il, je voulais justement vous rencontrer. J'aimerais savoir où sont stockés les panneaux de la nuit du mercredi de la semaine dernière.

– La fameuse nuit ! intervint Mollex. Tu t'en rappelles ?

Ahmed était perplexe. Il fit une moue dubitative.

– Ma foi, j'ai dû les mettre là où il y avait de la place… Il faudrait vérifier les étiquettes, cela va prendre du temps…

– C'est important ?

– Je ne sais pas, peut-être, répondit Quentin.

– Il faudrait d'abord s'assurer de ce qu'on a fabriqué, dit Mollex en saisissant un classeur… Voyons… mercredi dernier… Ah ! fit-il, je m'en souviens… Nous avons fabriqué du « 19 flamme ». C'est moi qui ai commencé, je me suis tapé tous les réglages.

– Que veut dire « 19 flamme » ? demanda Quentin.

– « 19 », c'est l'épaisseur en millimètres et « flamme » signifie que c'est un panneau qui résiste au feu… enfin un peu mieux que les autres. On n'en fabrique pas souvent de ceux-là… C'est un peu plus compliqué à réaliser.

– Pourquoi ?

– Parce qu'il faut ajouter du BAST, un produit ignifugeant inséré sous forme de poudre rouge, avec une vis sans fin, juste après les encolleuses. Parfois la vis se coince, alors il faut tout arrêter. C'est une vraie calamité, ce produit. Et en plus, on ne sait pas ce qu'il contient. Cela vient d'Allemagne… Il paraît qu'il faut mettre un masque pour le manipuler parce qu'il serait toxique…

– Ah ! voilà un détail intéressant, coupa Quentin. Y en avait-il dans la colle fournie à monsieur Verdoux ?

– Absolument pas, reprit Mollex. Le BAST est ajouté après les encolleuses juste avant les distributeurs. Le plus simple est que je vous montre, suivez-moi. Viens, toi aussi, Ahmed. Les encolleuses sont de gros cylindres, longs d'environ deux mètres légèrement inclinés. À l'intérieur, des pales actionnées par un axe central malaxent les copeaux.

– Je vois, observa Quentin. La colle ne peut pas contenir de BAST, à moins de le mettre exprès... Je comprends pourquoi il faut deux encolleuses. Une pour la CE et une pour la CI. Avez-vous encore un moment à me consacrer ?

– Quand le séchoir sera réparé, il faudra encore attendre environ vingt minutes pour remplir le silo de copeaux secs. Nous avons le temps.

– Vous avez fabriqué beaucoup de ce panneau « flamme » ?

– Non, ainsi que je vous le disais, c'est un produit assez peu demandé. J'étais juste repassé en « 19 standard » quand Pourtaud a pris la relève à quatre heures.

– Lorsque les panneaux sortent de la presse, ils sont stockés pendant combien de temps avant d'être poncés ?

– Cela dépend de la demande, ils attendent au moins huit jours.

– Cela veut dire que les fameux « 19 flamme » sont encore ici ?

– Pour ceux-là, j'en suis sûr parce que la demande est faible et qu'on ne les ponce que certains jours.

– Pourquoi ?

– Parce que c'est une vacherie. Voyez-vous, la poussière de ponçage est généralement récupérée pour alimenter la chaudière grâce à un brûleur spécial qui économise du fuel. Mais à cause du BAST qui ne brûle pas, la poussière de ponçage des panneaux « flamme » ne peut pas être récupérée. Elle est envoyée dehors dans une benne. Comme la poussière est rouge, de la couleur des panneaux, les jours de grand vent, c'est-à-dire souvent, toute l'usine et la campagne alentour tournent au rouge. C'est pourquoi on ne peut les poncer que les jours de calme plat.

– Il y a quelque chose qui m'intrigue, observa Quentin. Si le BAST est supposé être toxique, la poussière de ponçage l'est forcément elle aussi. Ce n'est donc pas salubre si elle est éparpillée dans la nature, vous ne croyez pas ?

– Vous avez parfaitement raison. L'ingénieur Guardac a même fait un rapport là-dessus, mais l'hygiène et la sécurité ne sont pas le principal souci de la direction...

– Leur couleur devrait nous aider à retrouver ces panneaux, suggéra Quentin.

– En effet, les « flamme » sont toujours stockés au même endroit. Ahmed va vous les montrer.

De retour près du lieu du drame, le cariste saisit la grosse poignée de la porte et la tira latéralement pour dégager un espace afin d'entrer. Il s'échappa une forte odeur, mélange d'effluves de bois et de formol.

Ahmed entraîna le policier au fond du magasin. Les deux piles de panneaux qu'il avait vus la veille étaient effectivement roses. Les étiquettes confirmaient bien qu'ils avaient été fabriqués dans la nuit du mercredi au jeudi de la semaine précédente.

– Vous savez ce qu'il y a derrière ces piles ? demanda Quentin.

Ahmed regarda le policier avec étonnement, ne semblant pas comprendre la question.

– Derrière ?… mais le mur, forcément…

– N'y aurait-il pas aussi la porte qui donne sur l'atelier-pilote ?

– Ah ! oui, c'est vrai. Comme elle est toujours fermée, on finit par l'oublier. Je ne l'ai jamais vue ouverte.

Les idées se bousculaient dans la tête de Quentin.

– Récapitulons, reprit-il. Les panneaux sont forcément empilés en commençant par le bas. Voyons ces étiquettes. Le paquet du bas est donc le premier à avoir été fabriqué ? C'est bien ça ?

– Tout à fait.

– Et c'est vous-même qui l'avez entreposé puisque c'est votre équipe qui a démarré la fabrication du « 19 flamme ». Pouvez-vous me dire à quelle heure vous l'avez placé ?

Ahmed regarda l'étiquette et confirma :

– À une heure du matin.

– Rappelez-moi pourquoi ces panneaux sont toujours déposés ici.

– Dans le fond du magasin, on met toujours les produits peu demandés, de façon à limiter les manutentions délicates. Il n'est pas facile de manœuvrer. Je

suis souvent obligé de sortir en marche
arrière.

– Quels sont les panneaux qui sont
stockés là, à part le « flamme » ?

Ahmed se demandait où Bruchet voulait en venir avec ce genre de questions.

– Il faudrait demander à Berlot, le
magasinier. Il vous expliquera. Moi, je
fais en fonction de la place...

– Bon ! Je verrai avec Berlot. Excusez-
moi d'insister mais c'est très important.
Si vous avez déposé les panneaux ici,
c'est parce que la place était libre.
Depuis quand était-elle libre ?

– J'ai commencé à dégager l'emplacement vers vingt-deux heures, de façon à
stocker les « 19 flamme » dès qu'ils sorti-
raient de la chaîne.

– Essayez de vous souvenir, demanda
Quentin d'une voix calme, pendant combien de temps la porte a-t-elle été libé-
rée ?

Ahmed venait de comprendre ce qui
intéressait tant le policier.

– Je ne sais pas, balbutia-t-il, désarçonné, à la limite de la panique, peut-
être un quart d'heure, peut-être plus... Je
manipule tellement de panneaux dans le

travail... Et cette nuit-là, j'ai navigué entre plusieurs magasins.

– Pour résumer, pouvez-vous au moins affirmer que cette porte a été dégagée, même un court moment ?

– Oui, ça c'est sûr... mais alors... ? vous croyez que... ? bredouilla Ahmed avec des yeux effarés

– Écoutez-moi bien, Ahmed, et faites-moi confiance. Je ne sais pas ce que je vais trouver derrière ces piles, mais je vous demande de ne rien dire à personne. Vous entendez bien, à personne !

Quentin avait forcé un peu le ton de façon à impressionner son interlocuteur.

– À présent, continua-t-il, je vais revoir Mollex. Je compte sur vous. Pas un mot !

Dès qu'il fut entré dans la cabine, Quentin en ferma la porte. Son visage devait refléter l'excitation intérieure qui le gagnait.

– Que vous arrive-t-il ? demanda Mollex, intrigué.

En quelques phrases débitées en rafale, Quentin lui expliqua ce qu'il venait de constater. Il dut cependant répéter plusieurs fois certains détails.

– Si je m'attendais à ça, s'étonna le contremaître en hochant la tête... Cela veut dire que quelqu'un aurait pu sortir par la porte arrière de l'atelier-pilote au moment où Verdoux était à l'intérieur... Alors... ? Vous pensez que... ?

– Ne nous affolons pas, tempéra Quentin. Jusqu'ici, ce ne sont que des suppositions. Vous comprenez que j'aie besoin de jeter un coup d'œil derrière ces piles... Pour cela il va falloir les évacuer.

– En effet, murmura Mollex, on va le faire. Mais vous allez accaparer Ahmed au moment où on va redémarrer. Comment vais-je faire sans lui ? Ça va prendre un bon bout de temps pour déménager le fond du magasin... J'ai une idée. Êtes-vous à une demi-heure près ?

– Ma foi, non...

– Alors, je vous propose de faire appel à l'un des caristes de jour, aux expéditions. Berlot ne devrait pas tarder.

– Bonne idée. J'irai le voir, mais en attendant, ne dites rien à qui que ce soit. Il faut que j'en parle aussi à Chatel que je vois arriver.

– Bonjour, plaisanta celui-ci. Il semble que vous vous plaisiez chez nous, au point d'y passer une partie de la nuit…

– J'ai du nouveau, lança-t-il, et j'ai besoin de votre aide.

– Diable ! Qu'allez-vous m'annoncer ?

Bruchet exposa à l'ingénieur le résultat de ses découvertes du petit matin. Chatel resta figé, regardant fixement Bruchet, la bouche entrouverte. Enfin, il articula quelques mots.

– Voilà qui laisse pantois. Personne n'y a pensé. Il a donc été possible à quelqu'un d'entrer ou de sortir de l'atelier-pilote la fameuse nuit. Mais qui ?

– Pas de déduction hâtive. On sait seulement que cela a été possible. Vous devinez que j'ai besoin d'examiner les lieux de près. Pour cela il faut déménager les panneaux « flamme ».

– Qui est au courant ? s'inquiéta l'ingénieur.

– Ahmed, le cariste, Mollex et vous. Nous ne sommes que quatre.

– Pourvu qu'ils tiennent leur langue. Mollex, lui, ne dira rien…

– Je pense avoir impressionné Ahmed. En attendant que Berlot nous prête un

cariste pour dégager le magasin, j'aimerais jeter un coup d'œil dans le bureau de
Verdoux. Quelqu'un en possédait-il la clé
en dehors de lui ?

– Non, lui seul avait un passe qui
ouvrait toutes les portes.

– Quelqu'un y est-il entré depuis ?…

– Je pense que non. La porte du couloir est restée fermée mais sa secrétaire
peut y accéder. Allons-y, elle est toujours
matinale.

Nicole Crambot, grande brune et
mince aux yeux noisette, était une
femme plutôt timide, vêtue avec simplicité mais néanmoins élégance. Chatel fit
les présentations.

– Savez-vous si quelqu'un est retourné
dans le bureau de monsieur Verdoux
depuis que… ? demanda Quentin.

– Moi, j'y suis retournée. J'avais besoin
de documents pour monsieur Chatel et
je savais où ils étaient.

– Et à part vous ?

– Personne ! Le bureau donne dans le
couloir mais la porte est restée fermée à
clé. Celui qui voudrait y entrer devrait
d'abord passer chez moi… Avant c'était

différent, monsieur Verdoux sortait et laissait sa porte ouverte.

– Je vois. J'aimerais y jeter un coup d'œil.

Quentin, accompagné de ses deux témoins, entra dans le bureau du directeur. La pièce était grande et l'intérieur cossu. Le mobilier de qualité, en chêne massif, comprenait une grande table entourée de chaises, une vitrine avec des livres et des dossiers, une armoire et le bureau proprement dit. Celui-ci, très grand, ne supportait qu'un sous-main de cuir, un téléphone et une lampe de style empire avec un pied de bronze. Derrière le bureau, un fauteuil de cuir noir au haut dossier, et devant, deux fauteuils à dossier bas.

Quentin s'assit à la place qu'occupait Verdoux et ouvrit le premier tiroir de droite. Il ne contenait que des agendas et un répertoire de téléphone. Dans le tiroir du dessous, trois dossiers : un bleu et deux rouges.

– Que contiennent ces dossiers ? demanda-t-il à Nicole.

– Le bleu concerne le commercial et toutes les références des clients. Les deux autres consignent les dépenses, investissements et commandes de colle.

Le tiroir du bas était fermé à clé.

– Nous verrons cela plus tard, dit Quentin avec regret.

Les tiroirs de gauche ne contenaient que de la paperasse sans intérêt. Cependant, Quentin examina soigneusement chaque papier et remit tout en place. Ensuite, sous l'œil de Nicole, il entreprit de vider méthodiquement le contenu de la vitrine. Il n'y avait là que des dossiers que la secrétaire lui commentait et des livres techniques.

L'armoire était également fermée à clé et il n'était pas possible de l'ouvrir sans la forcer. Il se baissa et regarda attentivement autour de la serrure.

– Tout a l'air en ordre, conclut le policier. Je reviendrai éventuellement pour ouvrir ce qui est fermé. Allons voir si le magasinier est arrivé. Je vous remercie, madame. Je vous verrai plus tard.

Le magasin des expéditions recevait deux camions qu'il fallait charger dans l'heure qui suivait. Chatel était contrarié mais Bruchet le rassura.

– Nous ne sommes pas à une heure près, lui dit-il à voix basse. Je vais en profiter pour consulter le commissaire.

À l'hôtel, Moutiers l'accueillit.

– Votre collègue s'est inquiété quand on a vu que vous n'étiez pas là.

– Il est réveillé ? J'y vais. Préparez-moi un petit déjeuner, s'il vous plaît.

Quentin monta l'escalier et frappa à la porte de Gradenne.

– Ah ! Vous voilà ! Où étiez-vous donc passé ? Mais asseyez-vous, vous avez l'air tout excité.

– Comment allez-vous, patron ?

– Pas vraiment mieux, mais pas pire qu'hier. C'est déjà ça ! Vous avez du neuf ?

– Je crois bien, répondit Quentin avec un large sourire. Cette fois, je tiens peut-être une piste.

Il raconta par le menu le résultat de ses investigations depuis la veille. Gradenne, au fur et à mesure, ouvrait des yeux tout ronds, ce qui, avec sa barbe grisonnante de deux jours, lui donnait un air comique. Il s'était redressé sur l'oreiller et son sourire témoignait d'une incontestable admiration pour son jeune collègue.

– Vous m'en bouchez un coin, Bruchet. Je ne sais pas ce que vous allez trouver, mais je vous félicite. Allez vite casser la croûte, vous avez besoin de forces. Ah ! J'enrage d'être cloué ici...

Quentin récupéra son appareil photo et se précipita sur le café fumant et le pain grillé qui l'attendaient en bas. La dernière bouchée avalée, il fila jusqu'à l'usine. C'est presque en courant qu'il arriva au bureau de Chatel qui interrompit aussitôt son activité.

Berlot ne comprit pas pourquoi il devait d'urgence mettre un cariste à la disposition de la police, mais il ne discuta pas. Puisque le directeur par intérim le demandait...

Bruchet tenait à être présent pendant tout le déménagement du fond du magasin. La même curiosité motivait Chatel bien qu'il ait eu autre chose à faire.

La manipulation des panneaux prenait du temps. Comme l'avait indiqué Ahmed, il fallait sortir en marche arrière et, à chaque voyage, traverser la cour et déposer le chargement dans un autre magasin.

– Vous comprenez à présent pourquoi on place ici les produits qui tournent peu, fit observer Chatel.

Le cariste se montrait très habile. Il ignorait la raison de ce déménagement soudain, surtout en présence d'un lieutenant de la PJ et du directeur de l'usine. Quand il ne resta plus qu'un paquet, sur ordre de Bruchet, les fourches du Fenwick furent introduites délicatement entre les cales, au ras du sol, et levées avec précaution.

Quentin s'avança sur les cales afin d'éviter de marcher sur le sol près de la porte. Il s'accroupit et observa longuement.

– Il me faudrait un éclairage rasant, demanda-t-il.

– Vous avez encore besoin du cariste ? demanda l'ingénieur.

– Non, mais ce magasin devra être condamné jusqu'à ce que j'aie fini.

– Très bien. Je reviens tout de suite.

Chatel plaça sa voiture devant la porte de l'atelier-pilote et alluma les phares antibrouillard. Bruchet remonta sur les cales. Il changea deux fois de place et fit signe à l'ingénieur de le rejoindre.

– Jetez un coup d'œil, on voit nette-
ment des piétinements dans la poussière
devant la porte, manifestement récents.
De plus, des marques de pas se distin-
guent parfaitement sur le sol, entre les
deux cales.

Chatel balaya du regard tout l'espace à
la base de la porte.

– Regardez là, dit-il en montrant le
bas de l'un des battants de la double
porte. Elle a été ouverte récemment et
a repoussé la poussière sur toute la
longueur. Et ces cales ont été déplacées.

Le policier sortit son appareil photo, et
prit une dizaine de clichés en veillant à
rester sur les cales. Il alla ensuite examiner les charnières du battant qui avait
été ouvert. Il tira une minuscule lampe-
torche de sa poche et procéda à un examen attentif.

– Ce que je vois confirme que cette
porte a bien été ouverte, il n'y a pas longtemps. Regardez encore, il y a un éclat
de peinture tout frais.

– En effet, reconnut l'ingénieur qui,
depuis le matin, allait de surprise en surprise...

– Pour l'instant, je demande à ce que ce magasin soit bouclé. Vous comprenez maintenant pourquoi ?

– Parfaitement. Je vais faire le nécessaire.

Il sortit et revint dix minutes plus tard avec René Berlot et deux autres hommes.

– On pourrait mettre un cadenas et une chaîne, suggéra-t-il, mais un cadenas peut se crocheter. Je préfère les grands moyens. Nous allons souder la porte extérieure.

– N'est-ce pas un peu excessif ? s'inquiéta Quentin.

– Ne vous en faites pas, nous allons souder une barre de fer en travers sur deux ou trois points, et ensuite un coup de disqueuse suffira pour l'enlever.

– Il faudrait aussi condamner la porte depuis l'atelier-pilote, observa Quentin, mais là des scellés suffiront. J'ai ce qu'il faut.

Il alla chercher le nécessaire dans le coffre de la Laguna et entra dans le labo saluer Guardac.

– Ne vous étonnez pas, je vous expliquerai plus tard.

– Du moment que cela ne nous empêche pas de travailler… répondit philoso-
phiquement Guardac.

Un peu plus tard, dans le bureau mis
à sa disposition, le policier demanda à
Chatel que l'on fasse venir le contremaître. Quand les trois hommes furent
réunis, Bruchet prit la parole et expliqua que la découverte de ce matin
constituait un fait nouveau très important. Mollex suggéra que c'était peut-
être Verdoux lui-même qui avait ouvert
la porte. Quentin objecta que la clé de
cette porte aurait alors été retrouvée à
l'intérieur. Or ce n'était pas le cas. Chatel émit pour la première fois l'hypothèse d'un meurtre.

– Ce serait donc une mise en scène
pour faire croire à un accident, murmura Mollex pensif.

– Dites-moi, avez-vous eu des échos de
notre découverte parmi le personnel ?

– Non ! Nous avons redémarré, il y a
une heure seulement. Les compagnons
n'ont pas eu le temps de bavarder. En
revanche, j'ai entendu quelques remar-
ques sur votre présence en pleine nuit.

– Peut-être, pensent-ils que vous remplacez Verdoux pour les espionner, observa Chatel, mi-figue mi-raisin.

– En attendant, je vous demande de ne rien dire à personne. Je dois informer le commissaire d'urgence et ensuite le procureur. Pendant ce temps, agissez comme d'habitude.

Lorsqu'il fut seul, Quentin appela l'hôtel du Grand Tétras.

– Désolé de vous importuner, patron, mais cette fois, j'ai la preuve formelle que quelqu'un est sorti par la porte du fond pendant que Verdoux était à l'intérieur.

Quentin informa aussi son chef des mesures qu'il avait prises pour protéger les lieux.

– Vous avez bien agi, Bruchet. Cette fois nous sommes ici pour un bout de temps. Je vais avertir immédiatement le procureur. Comme je suis sur le flanc, je vais vous trouver quelqu'un pour vous aider. Mais rassurez-vous, c'est vous qui continuerez à conduire l'enquête. Vous faites de l'excellent boulot.

– Merci, patron. Il serait temps aussi de faire procéder à l'autopsie de Verdoux. Qu'en pensez-vous ?

– Vous avez raison, cela s'impose maintenant ! Le procureur va certainement ouvrir une instruction et saisir un juge. Quant à vous, je vous fais confiance. Mais n'oubliez pas de déjeuner.

– Et les gendarmes ? On les met au courant ?

– Plus tard... On verra...

Depuis deux jours, Quentin vivait des moments intenses. Après tout, la grippe du commissaire qui avait commencé par l'inquiéter, était peut-être une chance pour lui. Il prenait confiance et les compliments de Gradenne l'avaient stimulé. Cependant, il avait conscience de n'être qu'au début de ses peines, et que désormais tout faux pas lui était interdit. À ce propos, n'aurait-on pas dû commencer par faire venir une équipe de l'Identité judiciaire pour fouiner dans tous les coins du magasin, et qui sait... peut-être trouver d'autres indices... ? Mais n'était-ce pas trop tard ? Il se reprocha de ne pas en avoir touché un mot à Gradenne. Il n'entendit pas immédiatement les coups frappés à sa porte.

– Entrez, dit-il en sursautant.

– Je voudrais savoir si je peux informer ma hiérarchie des faits nouveaux ? demanda Chatel.

– Ah ! Je comprends...

Quentin se leva et se détendit les jambes.

– Laissez-moi encore une journée. Je vais en discuter avec le commissaire. Pour l'instant, je préfère ne pas ébruiter ce que nous avons découvert. Après tout, vous n'êtes pas censé savoir ce que j'ai trouvé... Imaginez, ajouta-t-il avec un petit sourire, que je sois un flic un peu renfermé qui ne dise rien...

– Très bien. Je vous laisse.

Chatel sourit à son tour, soulagé de ne pas avoir à rapporter à sa direction ce rebondissement qui, à coup sûr, ne plairait pas.

À nouveau seul, Bruchet repensa en souriant à Lambard et à son « *bon retour...* » Maintenant, la thèse de l'accident avait du plomb dans l'aile : la porte du fond de l'atelier avait été ouverte pendant un court moment, à l'instant même où Verdoux perdait la vie à l'intérieur. Difficile de ne pas voir une relation entre ces évidences.

Celui qui avait emprunté cette porte devait connaître avec précision la durée pendant laquelle elle serait dégagée. Qui savait que les panneaux « flamme » seraient déplacés cette nuit-là ? Ce ne pouvait être qu'une personne de l'usine.

Chatel devrait pouvoir le renseigner. Il partait à sa recherche quand il entendit sa voix au bout du couloir, discutant avec une femme devant un panneau garni de fiches multicolores.

– Vous me cherchiez ? demanda l'ingénieur en le voyant.

– Oui, auriez-vous encore un moment ?

– Je suis à vous. Pendant que vous êtes là, je vous présente madame Triolet, Josiane pour les intimes, qui s'occupe de gérer le planning de production en fonction des commandes.

– Bonjour, madame. Inutile que je me présente, je pense. Vous êtes peut-être la personne susceptible de me renseigner.

Elle échangea un regard inquiet avec Chatel. Bruchet le remarqua mais ne releva pas. Il savait qu'un policier peut inspirer la méfiance, surtout dans le cadre d'une enquête criminelle. Même si le mot meurtre n'avait pas encore été prononcé en public, l'événement tragique de la semaine passée avait suffisamment perturbé les esprits.

– Si je le peux, ce sera avec plaisir, répondit-elle.

– Voilà. Je voudrais savoir qui établit le programme de fabrication.

– Ah ! Ce n'est que ça ! fit-elle soulagée. En principe, c'est moi. Je l'établis pour la semaine en fonction des commandes et des stocks. Il est rare que nous soyons en rupture, mais cela peut arriver. Dans ce cas, nous lançons une fabrication en urgence.

– Nous faisons en sorte, intervint Chatel, de faire les campagnes les plus longues possibles. Chaque changement de fabrication implique un arrêt plus ou moins important et de nouveaux réglages. En moyenne, chaque modification de produit entraîne une perte de production de plus d'une heure.

– En dehors de madame Triolet, qui élabore le planning ?

– Il m'arrive de donner un avis, voire de modifier le programme, intervint Chatel. Pour des raisons techniques, dans quelques cas, certaines machines sont davantage sollicitées. Si elles sont un peu défaillantes, il est préférable de différer des fabrications.

– Monsieur Verdoux prenait connaissance du planning quand il était là, mais il était rare qu'il le modifie. À présent, je ne consulte que monsieur Chatel.

– La semaine dernière, s'est-il passé quelque chose de particulier ?

– Non, mais je vais vérifier.

Josiane Triolet, la trentaine, les cheveux courts à la garçonne, pas très grande et menue, était pétillante de dynamisme. En un instant, elle avait consulté un classeur.

– Tiens ! J'avais oublié ! Il y a eu un changement au dernier moment. Une commande de « 19 flamme » urgente devait arriver. Il a fallu modifier le programme le jour même.

– Qui était le client ? demanda Chatel.

– Je n'ai pas encore reçu sa commande. C'est Monsieur Verdoux qui avait été prévenu et qui m'a aussitôt informée. Je me souviens à présent. Il est passé me voir le jour même et c'est lui qui a corrigé le planning…

Chapitre Six

Quentin allait de surprise en surprise. Il avait besoin de respirer un peu d'air frais, autant pour ses poumons que pour son cerveau. Avisant un petit chemin, il s'y engagea. Marcher lui libérait l'esprit et le froid stimulait ses neurones. Le meurtrier était obligatoirement une personne de l'usine. Quelqu'un au courant que la porte du fond de l'atelier pourrait être accessible pendant un court moment, et aussi que Verdoux reviendrait le soir.

Il avait probablement déjà côtoyé l'assassin. Il lui faudrait interroger tout le personnel, comparer les emplois du temps, vérifier les alibis. En attendant le renfort hypothétique promis par Gradenne, il devait poursuivre son enquête en continuant à faire confiance à son intuition.

Alors que tout le monde, sauf le meurtrier bien entendu, s'était fait à l'idée

d'un accident, comment un interrogatoire de tout le personnel allait-il être
perçu ? Le secret ne serait pas gardé
longtemps. Et très vite, les commentaires et la rumeur feraient bientôt jaser
tout le pays. Gradenne, bien qu'affaibli,
devrait pouvoir le conseiller dans un
domaine où il manquait d'expérience.

À l'hôtel, celui-ci avait toujours mauvaise mine. Les joues creusées, des cernes
sous les yeux et une barbe grise de trois
jours ne donnaient pas de lui l'image
habituelle de l'élégant commissaire soi-
gné de sa personne. Bruchet remarqua la
petite machine à écrire sur sa table de
nuit. En dépit de la grippe, le commissaire était actif et essayait de tenir la
barre.

– Vous ne pouvez plus vous passer de
moi, Bruchet, plaisanta-t-il. Pourtant
vous vous débrouillez très bien. J'ai déjà
envoyé un rapport au procureur. Je
l'avais auparavant contacté par téléphone.

– J'ai besoin de faire le point avec
vous, patron, si votre état le permet.

Le commissaire sourit et son œil brilla
de satisfaction. Il était, tout compte fait,

flatté que son subordonné le sollicite. Il écouta longuement le lieutenant reprendre le récit des événements du matin.

– Vous avez raison, mon petit Bruchet, il vaut mieux jouer carte sur table. Mais vous avez bien fait de rester discret. Il fallait d'abord en parler au procureur, ce que j'ai fait. Il n'a pas été vraiment surpris, mais il est content de vous. Il m'a aussi félicité pour vous avoir bien cornaqué... Non ! je plaisante. Le procureur est une vieille connaissance. Je lui ai confirmé que vous faisiez un excellent boulot et tout seul. Alors ne me faites pas regretter ce que j'ai écrit... Mon rapport est déjà parti. À présent, nous sommes chargés d'une enquête pour présomption d'homicide sur la personne de Bernard Verdoux. Un juge d'instruction a été saisi. C'est le juge Soutier-Duval, Hervé de son prénom, ajouta Gradenne en lisant un papier qu'il prit sur sa table de nuit.

– Vous le connaissez ?

– Non, d'après ce que j'ai compris, c'est un jeune.

– Ah !

– Il me semble déceler une pointe de déception, Bruchet... Auriez-vous quelque chose contre les jeunes qui débutent dans le métier ?

– Non, non, pas du tout...

– À la bonne heure ! À présent, nous travaillons sur commission rogatoire. Comme on est vendredi, je crois bien que je vais rester ici le week-end. De toute façon, ma femme est partie chez sa sœur. Elle a l'habitude, comme toute femme de flic, d'attendre son mari. Je me suis bien gardé de lui faire savoir que j'avais la grippe. Je lui dirai que je suis retenu ici pour l'enquête, ce qui ne sera qu'un demi-mensonge. Et vous, que comptez-vous faire, Bruchet ?

Quentin regarda le commissaire, surpris qu'il lui pose une telle question.

– Mais, patron... Je reste, bien entendu...

– Cela ne m'étonne pas de vous. Je vous conseille de prendre quand même un peu de repos, la semaine risque d'être pénible.

– Merci, comme l'usine tourne même pendant le week-end, je pourrai être au cœur du sujet et fouiner à mon aise. De plus, ajouta Quentin avec un soupçon de tristesse, personne ne m'attend.

– Je pense que ce serait bon de lâcher le morceau dès aujourd'hui. Cela limitera peut-être les ragots, à défaut de les éviter... Vous allez hériter d'une corvée. Je vous l'aurais bien épargnée, mais...

– Laquelle ?

– Informer la veuve. Il serait plus convenable de la prévenir avant qu'elle ne l'apprenne chez l'épicier, vous ne croyez pas ?

– C'est aussi mon avis. Je pensais retourner à la gendarmerie pour les informer que nous gardions le dossier encore un moment. Nous avons une bonne raison pour cela. Ensuite, j'irai voir madame Verdoux...

– Bonne idée. Quant à votre renfort, j'y pense, croyez-le bien, mais je ne veux pas faire de promesses en l'air, comme un politicien en campagne électorale. Si je peux dégager quelqu'un, ce ne sera pas avant lundi.

– Pas de problème, je tiendrai jusque-là...

– À présent, allez manger et bon courage !

Quentin redescendit ragaillardi. Ainsi, il n'avait pas fait d'impair et son chef l'approuvait. Ce compliment stimula son moral et son appétit.

Tout en déjeunant, Quentin ne cessait de regarder le panneau coulissant au fond de la salle, en repensant alors aux piles qui bloquaient la porte du fond de l'atelier-pilote. Son inconscient lui avait sans doute soufflé que ces piles de panneaux avaient pu, elles aussi, être déplacées...

À la gendarmerie, après le préambule des civilités habituelles, le chef Courtay s'enquit de la santé de Gradenne.

– Avec une bonne grippe, il en a pour quelques jours, mais il garde le moral, répondit Quentin. La semaine prochaine, il sera sur pied.

– J'en déduis que vous serez encore là... Puis-je savoir comment avance votre enquête ?

– Certainement, je venais pour vous en parler.

Curieusement, Courtay ne semblait ni surpris, ni contrarié par ce revirement. Son petit sourire en disait long.

– Vous prendrez bien un café, proposa le chef en se levant pour sortir.

À son retour, il ferma soigneusement la porte du bureau et, la tasse à la main, il commença à s'expliquer.

– Pour tout vous dire, et que cela reste entre nous, j'étais un peu frustré. Je ne sais pas si j'aurais été aussi perspicace que vous, mais j'aurais au moins creusé un peu plus... Malheureusement, nous n'avons pas les moyens de nos ambitions. Nous n'avons que des urgences et sommes la plupart du temps obligés de parer au plus pressé...

D'un geste vague signifiant à la fois qu'il en avait trop dit et qu'il convenait de passer à autre chose, il poursuivit :

– Je vous remercie de m'avoir prévenu en premier. Qui va instruire le dossier ?

– C'est un jeune juge, Hervé Soutier-Duval

– Je ne le connais pas.

– Je vais devoir aussi prévenir la veuve. Je n'aime guère ce genre de formalité.

– Souhaitez-vous que je vous accompagne ? Je la connais, cela vous facilitera peut-être la tâche. Il va de soi que je resterai en retrait.

Quentin ne s'attendait pas à cette proposition. Il réfléchit un court instant et répondit :

– Je dois avouer que cela m'aiderait, je vous en remercie. Seriez-vous libre dès à présent.

– Certainement, allons-y tout de suite.

Quelques minutes plus tard, ils sonnaient à la grille de madame Verdoux qui habitait un pavillon de fonction cossu dans un grand jardin. Une femme apparut en haut de l'escalier de pierre, emmitouflée dans un châle. En voyant le képi de Courtay, elle comprit à qui elle avait affaire et les fit entrer dans le hall. Bruchet remarqua de nombreux cartons empilés et un certain désordre.

– Excusez le fouillis, dit-elle, je prépare mon déménagement. Je dois libérer la maison. *Polybois* ne m'a pas encore demandé de partir, mais cela ne tardera pas. Après la cérémonie, j'irai dans notre propriété du Périgord. Le plus tôt sera le mieux. Le salon est encore présentable. Venez vous asseoir.

Bruchet et Courtay échangèrent un regard significatif en la suivant.

– Je vous présente le lieutenant Bruchet de la PJ. Il a des informations à vous communiquer.

– Je vous écoute, dit-elle d'une voix calme.

– Eh bien voilà, commença Quentin, très mal à l'aise, j'ai le pénible devoir de vous informer que votre mari n'a probablement pas été victime d'un accident...

– Comment ? s'exclama-t-elle. Que dites-vous ?

Elle était très pâle et ses mains tremblaient. C'était une femme de taille moyenne et mince, au visage agréable, plutôt une belle femme. Elle portait simplement un chandail de grosse laine et un jean.

– Mais alors ?... balbutia-t-elle en se tournant vers Courtay. Vous aviez pourtant conclu à un accident ?

– Nous avons découvert des faits nouveaux qui infirment cette hypothèse. Je dois aussi vous aviser que le corps de votre mari va être autopsié

– Oh non ! cria-t-elle, pas ça !

Elle s'effondra dans le fauteuil derrière elle.

– J'avais commencé les démarches pour...

– ...les obsèques ? demanda Bruchet, compatissant.

– Oui ! mon mari voulait être incinéré. Que vais-je dire à mes filles ?

– Nous trouverons le coupable, madame, je m'y engage... Permettez-moi à présent de me retirer. Je reviendrai vous voir plus tard. Vous comprenez certainement que j'aie besoin d'autres éléments pour établir la vérité.

Elle hocha la tête sans répondre, se tourna vers Quentin, les yeux secs, et murmura :

– Bien sûr ! J'ai hâte que tout cela soit fini...

Pendant le trajet du retour, Bruchet et Courtay ne dirent pas un mot. C'était la première fois que Quentin devait annoncer à une femme que son mari avait probablement été victime d'un meurtre. Courtay, le premier, rompit le silence.

– Qu'en pensez-vous ?

– Pour tout vous dire, je suis mal à l'aise...

– Je comprends. C'est un moment pénible. Moi qui ai plus de bouteille que vous, je suis à chaque fois chaviré. Cependant...

– Oui ?

– C'est difficile à dire. J'ai encore la même impression bizarre.

– Vous aviez déjà été surpris par sa réaction en allant lui annoncer la nouvelle tragique au petit matin.

– Précisément... Cela fait plus d'une semaine et pourtant, elle a paru cette fois-ci beaucoup plus affectée.

– C'est sans doute la fatigue...

– Peut-être, mais je l'ai bien observée. Vous vous souvenez que la semaine dernière, je l'avais trouvée plutôt stoïque. Cette fois, elle était d'abord calme, puis elle a craqué quand vous lui avez annoncé qu'il y avait présomption de meurtre. Et quand il a été question d'autopsie, elle s'est effondrée.

– Depuis le drame, elle doit avoir les nerfs à vif.

– Vous avez sans doute raison...

– Vous ne semblez pas convaincu...

– C'est difficile à expliquer. Je l'ai trouvée plus contrariée que chagrinée... Elle n'a pas versé une larme.

– Cela ne veut rien dire...

– Oui..., répondit le gendarme sans conviction. J'avoue ne pas comprendre. Alors qu'elle s'était faite à l'idée que son mari finirait réduit en cendres, l'annonce de l'autopsie l'a bouleversée...

– Dans une situation aussi exception-nelle, je ne sais pas moi-même comment je réagirais...

– Pourtant, l'autopsie, si désagréable soit-elle, ne peut que faire progresser l'enquête ; c'est son intérêt à elle aussi...

Bruchet raccompagna le chef à la gen-darmerie, avant de reprendre le chemin de l'usine pour informer Chatel de la situation.

– Après concertation avec mon supé-rieur, nous sommes convenus d'annon-cer officiellement l'orientation nouvelle de l'enquête. Je souhaiterais réunir l'ensemble des cadres et une représenta-tion du personnel. Enfin... tous ceux qui peuvent venir.

– Très bien. Je m'en occupe. Nous irons dans la salle de réunion. C'est dom-mage que le délégué syndical Michel Petrod soit en congé car il serait le plus apte à représenter le personnel. Je vais faire venir Bonnier qui adhère au même syndicat.

Lorsqu'il entra avec Chatel dans la salle, tout le monde n'était pas encore arrivé. Il vit Guardac, un peu crispé, à côté de deux femmes.

– Je vous présente mademoiselle Anne Daudet, dit Chatel, c'est notre responsable administrative et voici madame Flora Nortout, notre comptable. Nous attendons monsieur Mandrez, le chef de maintenance. J'ai fait prévenir monsieur Bonnier qui va venir. Nicole Crambot va nous rejoindre aussi.

Les deux femmes bavardaient à voix basse et Guardac donnait l'impression de s'ennuyer. Mademoiselle Daudet avait une bonne trentaine d'années mais la mise en valeur appuyée de sa personne ne pouvait cacher qu'elle était une vieille fille. Elle se donnait du mal pour paraître élégante, mais il lui manquait l'étincelle de bon goût pour convaincre. Flora Nortout, au contraire, bien qu'elle ait aussi un « certain âge », reflétait la douceur. Sans maquillage, son visage était souriant. Elle était simplement vêtue d'un jean et d'une veste en tricot.

Bruchet sourit en voyant entrer un homme trapu, brun, le visage rougeaud. C'était Mandrez, les bras légèrement écartés du corps comme s'il tenait une orange sous chaque aisselle. En prenant place, celui-ci regarda ostensiblement sa montre, pour faire savoir que son temps était précieux. Il fut bientôt rejoint par un Bonnier plutôt tendu. Manifestement, il n'aimait pas les réunions !

Enfin, parut Nicole Crambot un peu contractée. Elle hésitait à entrer. Chatel referma la porte et Quentin prit la parole.

– Je vous remercie de venir à cette réunion improvisée mais indispensable. Bien que chacun ici sache certainement qui je suis, je vais néanmoins me présenter. Je suis le lieutenant Quentin Bruchet de la PJ. J'accompagne le commissaire Gradenne qui a été chargé par le procureur de la République de poursuivre l'enquête sur le décès de monsieur Verdoux, votre directeur...

– Je croyais que l'enquête était terminée, coupa Mandrez, et que les gendarmes avaient conclu à un accident...

– C'est exact. Je vous ai fait venir pour vous parler de faits nouveaux, dit Quentin d'un ton ferme.

Mandrez fit une moue signifiant qu'il ne comprenait plus rien, et, à l'exception de Bonnier et Chatel, les participants exprimèrent de l'étonnement. Quentin poursuivit :

– Je serai bref, car je sais qu'en fin de semaine, vous avez beaucoup de travail et je ne voudrais pas abuser de votre temps. Les causes de la mort de monsieur Verdoux ne sont plus établies. Une instruction a été ouverte et un juge a été saisi. L'enquête va donc se prolonger et nous devrons poursuivre l'exécution de la commission rogatoire.

Bonnier resta silencieux mais marqua néanmoins de l'étonnement tout comme Guardac. Les trois femmes et Henri Mandrez semblaient stupéfaits.

– Mais alors, comment est-il mort ? demanda ce dernier.

– C'est ce que nous allons nous efforcer de découvrir avec mon collègue de la PJ. Compte tenu des circonstances, vous comprenez que je vais devoir entendre le personnel, et que je vous demande de collaborer du mieux que vous pourrez bien que je sache que cela va inévitablement vous perturber. Avez-vous des questions ?

– Ce sera dans la presse ? s'inquiéta Anne Daudet.

– Cela n'est pas de mon ressort, mais je le crois inévitable.

– Pourquoi le commissaire n'est pas ici ? demanda Mandrez.

– Il effectue des recherches par ailleurs.

Après un moment de silence pesant, Mandrez fit comprendre qu'il avait à faire et Quentin lui signifia qu'il pouvait disposer. Il fut suivi par les trois femmes qui semblaient très inquiètes. Bonnier, qui était revenu spécialement, ne semblait pas pressé. Guardac ne s'était même pas levé. Il demanda doucement :

– Pouvons-nous savoir pourquoi vous avez des doutes sur les causes de la mort de Verdoux, à moins que ce ne soit couvert par le secret de l'instruction... ?

Quentin invita d'un geste tout le monde à se rasseoir.

– Soyons réalistes, commença-t-il après un court silence. Certaines personnes dans cette usine sont désormais au courant d'un fait nouveau. Ainsi que je l'ai dit, un juge d'instruction a été saisi. Je vous demande instamment, et j'insiste sur ce point, de ne pas ébruiter ce que vous seriez amenés à connaître. Il est inutile de prêter le flanc aux rumeurs. J'ai pu établir avec certitude que la porte du fond de l'atelier-pilote avait été ouverte pendant que monsieur Verdoux était à l'intérieur. Jusqu'alors, la thèse de l'accident était la seule recevable, car il apparaissait que personne n'avait pu entrer ou sortir de l'atelier pendant la présence de monsieur Verdoux.

– Et si c'était lui qui avait ouvert puis refermé cette porte ? observa Guardac, en hochant la tête.

– C'est effectivement une hypothèse que j'avais envisagée. Dans ce cas, on aurait retrouvé la clé de cette porte dans l'atelier. Les seules clés que les gendarmes ont retrouvées avec le corps sont celles de sa voiture restée sur le parking de l'usine, celles de l'atelier-pilote et du labo. La possibilité d'accéder par la porte du fond est un élément nouveau très important qui justifie l'ouverture d'une instruction.

– Ne jouons pas sur les mots, intervint Bonnier, si ce n'est pas un accident, c'est un meurtre, et le criminel est quelqu'un de l'usine…

– C'est effectivement une hypothèse à ne pas négliger…

Cette dernière parole jeta un froid.

– À présent, vous pouvez avertir votre hiérarchie, monsieur Chatel.

L'ingénieur fit une grimace comme quelqu'un à qui on vient de demander une corvée.

– Si cela ne vous ennuie pas, ajouta Quentin, je vous serais obligé de ne pas fournir trop de détails.

– Heureusement que j'étais à l'autre bout de la France, ironisa Guardac, sinon j'aurais pu être suspecté.

Tandis que Guardac et Bonnier sortaient, Quentin s'adressa à Chatel.

– Tout compte fait, le bureau que vous m'avez prêté me sera très utile, bien plus que je ne le pensais. Je vais auditionner madame Crambot. Pouvez-vous lui demander de passer me voir.

– Je vous l'envoie.

Quentin s'installa et entendit bientôt quelques coups timides à la porte. Plutôt que de répondre, il alla ouvrir.

– Prenez place. J'aimerais parler avec vous de monsieur Verdoux. Depuis quand étiez-vous sa secrétaire ?

– J'étais déjà la secrétaire de son prédécesseur.

– Comment était-il dans le travail ? Vous vous entendiez bien ?

– Ce n'était pas toujours facile avec lui... Il se mettait parfois en colère sans raison. De plus, il ne me donnait pas toujours son emploi du temps et cela me plaçait souvent en porte-à-faux...

– Par exemple ?...

– Il m'arrivait de recevoir des appels du siège, et je ne savais pas où il était... De plus, j'avais l'impression qu'il se méfiait de moi. C'était très désagréable...

– Je vois... L'auriez-vous trouvé différent ces derniers temps ? Préoccupé, tendu... ?

– C'est vrai qu'il avait beaucoup changé depuis environ deux mois...

– Pouvez-vous préciser un peu plus ?

– Plusieurs événements étranges se sont déroulés...

– C'est-à-dire ?

– Cela a commencé un jour de novembre quand je l'ai entendu piquer une grande colère. Je venais de lui apporter le courrier et quelques dossiers. Il parlait à voix forte comme s'il se disputait avec quelqu'un. Comme personne ne lui répondait, j'ai entrouvert la porte qui sépare nos bureaux et j'ai vu qu'il était seul. Il me tournait le dos et gesticulait. Il a pris une feuille dans le dossier ouvert sur son bureau, l'a froissée rageusement et l'a jetée dans la corbeille. C'est alors qu'il m'a vue. Il s'en est pris à moi et m'a congédiée sans ménagement.

– Avez-vous repéré de quel dossier il s'agissait ?

– Oui, c'était le dossier *thana*, un dossier vert à sangle, facile à reconnaître parce que je ne lui en avais donné que deux le matin. Celui-là et un autre de couleur rouge, sur les dépenses du mois.

Quentin qui prenait quelques notes sentit sa main se crisper sur son stylo en entendant parler de *thana*. Il maîtrisa sa surprise et d'une voix neutre demanda :

– C'est vous qui archivez ces dossiers ?

– Pas tous, mais ils m'étaient souvent transmis pour que je les donne à monsieur Verdoux puisque c'était moi qui le voyais le plus souvent...

– Savez-vous de quoi traite le dossier *thana* ?

– Non, pas du tout. J'ai entendu ce mot plusieurs fois, mais je ne m'intéresse pas à la technique.

– Donc, vous ne savez pas ce qui était écrit sur ce papier qui l'avait tant irrité ?

Nicole Crambot rougit et baissa les yeux. Quentin comprit qu'elle savait quelque chose qu'elle n'osait pas dire.

– Si vous détenez une information, il faut me la communiquer, je vous rappelle que j'enquête sur une présomption de meurtre sur commission rogatoire...

Cette phrase impressionna Nicole et dissipa ses dernières résistances.

– J'étais très intriguée. Lorsque monsieur Verdoux est sorti, je suis allée chercher ce papier dans la corbeille...

– Eh bien ?

– Je n'ai pas compris, c'était la photocopie d'un article de journal...

– De quel journal ?

– Je ne sais pas.

– De quoi était-il question dans cet article ?

– De la guerre d'Algérie.

– Vous ne l'auriez pas gardé, par hasard ?

Nicole rougit une nouvelle fois jusqu'au bout des oreilles. Elle s'agitait sur sa chaise et tripotait nerveusement son pendentif, ce qui amusait intérieurement Quentin même s'il n'en laissait rien paraître.

– Je sais que je n'aurais pas dû, balbutia-t-elle, mais j'étais curieuse. Je ne comprenais pas pourquoi un article de presse qui datait de près de cinquante ans, puisque la guerre a fini en 1962, pouvait le mettre dans cet état…

– Vous n'avez rien fait de mal. Vous avez récupéré un papier dans une corbeille. Il n'y a pas de quoi vous troubler. Pourrais-je le voir ?

Nicole, soulagée de ne pas recevoir de reproche, se leva et sortit.

– Le voici, dit-elle à son retour, en tendant à Quentin une feuille qui avait été manifestement froissée puis défroissée…

Le policier étala le papier devant lui et passa la main dessus, geste réflexe mais inutile pour aplanir la feuille. Il lut l'article d'un trait puis releva les yeux et regarda Nicole Crambot. Sans dire un mot, il en reprit la lecture une seconde fois, réfléchit sans quitter la feuille des yeux et releva doucement la tête.

– Je suppose que vous l'avez lu ? dit-il enfin.

Nicole hocha la tête en signe d'approbation.

– Je me demande, ajouta-t-elle, ce que faisait cet article dans le dossier *thana*. C'est pour ça que je l'ai gardé.

– C'est la question que j'allais vous poser. Vous êtes sûre qu'il était dans ce dossier-là ?

– Sûre… sûre… je ne l'y avais pas vu avant de le lui donner, mais quand je le lui ai passé, il n'y avait rien sur son bureau.

Quentin réfléchissait.

– Le titre est lourd de mystère, commenta-t-il… « *Massacre de villageois en Kabylie* ». Rien ne permet de savoir de quel journal il s'agit… D'après l'article, il est question d'exactions commises par une unité de soldats français à Sidi Bleda, petit village de quelques dizaines d'habitants, tout au plus, dans la montagne… Je sais que nous n'avons pas écrit que des pages glorieuses en Algérie… Un lieutenant de paras est fortement mis en cause... En plus, il y a cette mention ajoutée au bas de la feuille à la main : « *la valise ou le cercueil* »... Cela ressemble terriblement à une menace...

Il croisa les doigts, posa les coudes sur la table, appuya son menton sur ses mains et regarda Nicole dans les yeux.

– Vous saviez que monsieur Verdoux était un ancien officier qui avait servi pendant la guerre d'Algérie ?

Nicole soutint le regard de Quentin et sourit.

– Tout le monde le savait ici. Il en parlait à toute occasion.

– Depuis cet incident de novembre, y a-t-il eu d'autres faits étranges ?

– Oui. Depuis cette fois-là, je me suis mise à jeter un coup d'œil dans les dossiers avant de les lui transmettre, mais je n'ai rien trouvé. Par contre...

– Oui ?

– Deux fois, il a reçu des lettres avec la mention « *personnel et confidentiel* »

– Vous les avez ouvertes ?

– Bien sûr que non ! répliqua Nicole indignée.

– Et vous pensez qu'elles contenaient des articles du même genre ?

– Je ne sais pas, mais en tout cas, juste après les avoir lues, il a été tout retourné… Après ce qui s'était passé, j'étais tellement intriguée que je le surveillais discrètement. La première fois, il avait laissé la porte ouverte entre nos deux bureaux, alors j'ai jeté un coup d'œil sans me montrer. Quand il a pris connaissance du contenu de l'enveloppe, il a semblé atterré, comme si une catastrophe lui tombait sur la tête.

– Vous n'avez pas vu de quoi il s'agissait ?

– Non ! Et il n'a rien jeté dans la corbeille. Quand il a vu la seconde enveloppe, il s'est aussitôt enfermé. Ah ! une autre fois, j'ai remarqué que quelqu'un avait déposé un paquet sur son bureau…

– Vous ne savez pas qui ?

– Non ! Pas plus que je ne sais ce qu'il contenait…

– En résumé, depuis environ deux mois, vous l'avez trouvé très différent…

– Oui, beaucoup. Avant, il se vantait, il était autoritaire et se mêlait de tout. Mais après l'incident de novembre, il était devenu renfermé, très susceptible, et s'irritait pour un rien. Il donnait même l'impression... Ah ! comment dire ?... d'avoir peur... oui, c'est cela ! J'en avais parlé à mon mari.

Quentin se leva et s'étira. Ce qu'il venait d'entendre le laissait perplexe.

– Et en avez-vous parlé à quelqu'un d'autre qu'à votre mari ?

– Non ! À qui vouliez-vous que j'en parle ? Je ne sais pas comment ils sont à la production. Mais ici, dans les bureaux, avec le patron dans les parages, on se tenait à carreau...

Quentin pensa que le moment était venu de fouiller de fond en comble le bureau de Verdoux. Comme c'était sa première perquisition, il téléphona à Gradenne pour prendre son avis.

– Vos scrupules vous honorent, Bruchet, mais comme nous avons une commission rogatoire, ne perdez pas de temps. Allez-y !

Quentin alla immédiatement voir Chatel.

– Je vais perquisitionner dans le bureau de monsieur Verdoux. Je souhaiterais votre présence.

– Tout de suite ?

L'ingénieur regarda les dossiers devant lui avec un certain regret et se leva. Quentin avait conscience de le perturber dans son travail, mais l'enquête devait avancer.

– Je vais aussi demander à madame Crambot de venir. Elle doit bien connaître le bureau de son ancien chef.

Quentin était accompagné de ses deux témoins.

– Commençons par le bureau lui-même. Je voudrais éviter d'abîmer ce joli meuble, mais je suis désolé, il faut absolument ouvrir ce tiroir.

– Laissez-moi essayer, dit Chatel en tirant un trousseau de sa poche. Les serrures sont parfois identiques.

L'ingénieur essaya plusieurs de ses clés. Sans succès.

– Attendez, je reviens.

Chatel avait récupéré un curieux outil qui ressemblait à un crochet. Il s'attaqua à la serrure et, après plusieurs tentatives, réussit à ouvrir le tiroir.

– N'allez pas pour autant penser que je suis un cambrioleur, plaisanta-t-il, mais j'avais égaré mes clés en septembre et j'ai

dû me débrouiller avec ça, dit-il en bran-
dissant son outil.

Dans le tiroir, le policier trouva une
boîte en carton. Il la posa sur le bureau
et l'ouvrit. Une exclamation lui échappa.
Les autres qui n'avaient rien vu, le regar-
daient surpris. Quentin sortit de la boîte
un morceau de panneau de particules
taillé en forme de cercueil. Un papier
était collé dessus avec ces mots : *Lieutenant Verdoux – Sidi Bleda*.

Chatel regarda l'objet et fronça les
sourcils.

– Ça veut dire quoi ? demanda-t-il.

Nicole Crambot hochait la tête et semblait moins surprise.

– Est-ce le paquet que vous avez vu sur
son bureau ? lui demanda Quentin.

– Peut-être… Vous savez tous les
paquets se ressemblent. De plus, je n'ai fait
que le voir de loin. Mais c'est possible…

En regardant dans la boîte, Quentin sortit quelques feuilles pliées au fond.
C'étaient encore des photocopies d'articles
de journaux. Il étendit les feuilles méthodiquement et les étala sur le bureau. Chatel
et Nicole tentèrent de lire au moins les
titres, mais Quentin ne leur en laissa pas le

temps. Il replia le tout, remit le cercueil dans la boîte et dit simplement :

– Nous verrons cela plus tard. Inutile de raconter ce que nous venons de trouver. Je compte sur vous, n'est-ce pas ?

Il avait insisté sur la dernière phrase en les regardant bien en face.

– Puisque vous avez le coup de main, pouvez-vous aussi m'ouvrir l'armoire ? demanda-t-il à Chatel.

L'ingénieur hésita, croyant à une boutade, mais il comprit vite que Quentin ne plaisantait pas. Il s'escrima à forcer la serrure. À plusieurs reprises, il se retourna vers Bruchet, espérant qu'il lui demanderait de laisser tomber. Mais il reçut des encouragements à poursuivre. Enfin, la serrure se rendit.

Deux étagères contenaient des dossiers suspendus, et les autres des chemises à élastique, classées par couleur. Bruchet sortit deux gros cartons d'archives vert foncé. À l'intérieur, il trouva deux CD et des brochures qu'il feuilleta.

– Bigre, fit-il surpris, il ne s'occupait pas que de bois...

Mais il n'en dit pas davantage et replaça les brochures dans la boîte. Il se tourna ensuite vers Chatel :

– Avez-vous dans ce bureau des documents utiles pour votre travail ?

– Peut-être…

– Alors, prenez-les. Je vais le faire fermer. Voyez avec madame Crambot.

Sous le regard de Quentin, Nicole se concerta avec l'ingénieur afin de savoir de quels dossiers il pourrait avoir besoin. Puis Bruchet demanda à Nicole de fermer la porte de communication, en prit la clé et se tourna vers l'ingénieur :

– Encore une minute, s'il vous plaît. Je dois d'abord examiner tous ces papiers avant de vous les laisser.

Pendant une demi-heure, il inspecta le contenu de tous les dossiers, se faisant expliquer tel ou tel document. Il ne trouva rien qui puisse lui être utile pour son enquête.

– Excusez-moi pour ce contretemps, mais il était nécessaire que je vérifie tout.

– Je comprends parfaitement. Vous faites votre travail.

– Serait-il possible d'avoir une clé du bâtiment ? Je souhaiterais revenir demain, samedi, et je suppose que les bureaux seront fermés.

– Vous avez raison. Je vais vous fournir une clé de la porte d'entrée. Si vous venez, nous nous reverrons probablement ! Il m'arrive souvent d'être là le samedi, voire le dimanche. À présent que ma charge de travail a augmenté, je dois faire des heures supplémentaires...

Quentin voulut aussi entendre les trois témoins qui avaient assisté Pourtaud lors de la macabre découverte. Ce n'était qu'une formalité car il ne doutait pas du témoignage du contremaître. En effet, l'électricien comme le cariste et l'affûteur confirmèrent en tout point le témoignage de Pourtaud.

De retour dans la voiture, Quentin se détendit un peu. Il commençait à ressentir de la fatigue. Les événements s'étaient précipités depuis vingt-quatre heures. Il se sentait un peu grisé et éprouvait le besoin de communiquer ses impressions à Gradenne.

« *Pourvu que je n'aie pas fait d'impair...* » songea-t-il en démarrant. Il avait l'impression que le commissaire l'avait « *à la bonne* », et pourtant chaque fois qu'il rendait compte de ses actions, il craignait un reproche.

Quentin le retrouva lisant le journal dans un fauteuil, près de la fenêtre, emmitouflé dans une robe de chambre à carreaux. Il était rasé de près, ce qui rehaussait encore davantage sa pâleur.

– Ah ! Vous voilà ! dit-il en regardant par-dessus ses lunettes. Je commençais à m'ennuyer de vous. Comment cela s'est-il passé ? Je vois à votre œil pétillant que vous avez du nouveau...

Quentin avait envie de sourire en voyant son supérieur en robe de chambre. Il déposa sur le lit les cartons qu'il avait ramenés de l'usine.

– Comment allez-vous, patron ?

– Mieux, j'ai moins de fièvre, pourtant ce n'est pas encore demain que je ferai une randonnée à ski. Je me suis levé pour me raser, mais j'avais les jambes en coton. À force de rester au lit, je perds toutes mes forces. Ce soir, je descendrai dîner. Il faut que je bouge un peu sinon je vais me ramollir. Avant que je n'oublie, je dois vous parler de l'analyse graphologique de la lettre anonyme.

– Vous l'avez reçue ? Formidable !

– Je n'ai pas tout compris mais peu importe. Tous les spécialistes ont un jargon qui me déroute. Je vais vous faire un résumé. L'écriture a été contrefaite, ce qui ne m'étonne guère. La lettre aurait été écrite de la main gauche.

– Un gaucher ? Voilà un indice intéressant.

– Je n'ai pas dit cela. D'après le graphologue, ce serait un droitier qui aurait écrit de la main gauche. Le plus croustillant est que le rédacteur serait plutôt cultivé et d'une intelligence supérieure à la moyenne.

– Les fautes d'orthographe seraient donc volontaires pour nous égarer. Voilà pourquoi il les avait multipliées. Il a vraiment forcé la dose…

– Oh ! ne vous faites pas trop d'illusions. En matière d'orthographe, j'ai vu tant d'horreurs. À présent, à votre tour, dites-moi tout.

Bruchet exposa en détail son activité de l'après-midi et ses découvertes. Gradenne lut les articles de presse et prit le mini cercueil en mains. Il hochait la tête en réfléchissant.

– Voilà qui est très intéressant... Nous avons mis le doigt dans un sacré guêpier. Et qu'y a-t-il dans les cartons d'archives ?

Quentin tendit une partie du paquet de brochures au commissaire et entreprit d'examiner le reste. Au bout de quelques minutes, Gradenne s'exclama :

– Eh bien ! On ne trouve pas ça dans le catalogue de la Redoute...

Tous deux feuilletaient des documents techniques sur des armes de guerre ! Du pistolet au lance-roquette, on proposait de tout, des fusils d'assaut, des mitrailleuses, des grenades, des pistolets-mitrailleurs..., en provenance aussi bien de France, que d'Angleterre, d'Israël, de Russie, de Chine ou d'Autriche...

– Vous ne trouvez pas que ce sont des outils bien étranges pour travailler le bois ? lança Quentin.

– Certes, mais susceptibles d'entretenir le marché du cercueil ! Si nous commençons à discuter de ça, nous allons dîner tard. Je vous propose de continuer à table. Comme nous serons seuls, il n'y aura pas d'oreilles indiscrètes.

– Volontiers, dit Quentin qui commençait à avoir faim. Il y a aussi ces deux CD. J'aimerais y jeter un coup d'œil...

Chapitre Sept

Gradenne avait descendu l'escalier d'un pas alerte. Le commissaire savourait ce début de convalescence, attablé devant la cheminée.

– Nous avons bien mérité une petite pause, dit-il, vous surtout. Vous n'avez rien contre un bon vin jaune ?

– J'en prendrai bien volontiers, j'en ai goûté un excellent chez Pourtaud !

Après une première gorgée qu'il savoura, le commissaire commença :

– Vous savez ce que je pense de ces documents sur les armes ? S'il était collectionneur, on n'aurait pas trouvé ce genre de documents... Verdoux devait avoir la nostalgie de l'armée et, à ses heures perdues, il jouait au VRP un peu spécial... Toutes ces armes ont l'air d'être du dernier cri. Je vais contacter notre armurier. Il me donnera son avis...

– Un VRP ? Mais à qui pouvait-il vendre des armes ?

– Vous êtes naïf, mon petit, et c'est tout à votre honneur. Pour ce genre d'article, il y a toujours des clients. C'est un commerce lucratif mais inavouable. Il s'agit d'un trafic souterrain, obscur, malsain... avec, en arrière-plan, des coups d'État, des révolutions, des rébellions, des prises de pouvoir... avec leurs cortèges de morts, de déportés, d'orphelins... Nous touchons là un aspect de l'homme qui n'est pas très glorieux ! Quand je dis homme... je ne pense pas qu'à Verdoux !

– Mais quand pouvait-il exercer son « petit commerce » ?

– Il devait tenir le rôle d'intermédiaire, l'une des interfaces obscures entre le client et le fournisseur. *Polybois* était une couverture commode. Ce n'est peut-être pas par hasard que cette firme est noyautée par d'anciens militaires. Je vais essayer de me renseigner là-dessus, mais je ne me fais guère d'illusions, je vais rencontrer de nombreux obstacles.

– « Secret défense », par exemple ?

– Pardi ! Je vois que vous progressez, Bruchet ! N'oubliez pas que la France est un gros fournisseur d'armes qui ne vend pas que des avions de chasse et des sous-marins. Il y a aussi toute une panoplie de petite quincaillerie… Et pour renta-biliser cette industrie, il faut vendre, d'où la nécessité de recourir à des commer-ciaux.

– Ce serait une raison supplémentaire pour lui de se faire quelques ennemis…

– N'allons pas trop vite. Restons-en aux faits. Vous soulevez une hypothèse plausible mais ne vous emballez pas… Cela dit, vous avez raison de ne rien négliger…

– Que pensez-vous des vieux articles de presse ?

– Cela me préoccupe. Il s'agit d'une menace claire qui remue un passé glau-que et qui émane directement de l'usine. Or Verdoux est mort dans l'usine, ne l'oublions pas…

– Vous pensez à des Algériens qui auraient voulu se venger sur le tard ?

– De la façon dont vous formulez la question, vous en tout cas, vous y pen-sez. Je me trompe ?

En s'interrogeant ainsi, Quentin avait en mémoire le visage inquiet d'Ahmed. De quelle origine était-il ?

– Une partie du personnel est en effet maghrébine.

– D'après ce que vous m'avez dit, ce Verdoux avait plus d'ennemis que d'amis... à commencer parmi le personnel bien français.

– Cela ne fait qu'élargir le cercle des suspects... reprit Quentin, pensif.

– C'est en fouillant dans le passé de la victime que l'on trouvera sans doute des indices.

– J'avais l'intention de retourner voir sa veuve demain. J'ai quelques scrupules, mais elle détient certainement des informations intéressantes.

– Vous avez raison. Il est plus que probable qu'elle sait des choses de nature à nous éclairer. À propos, j'ai eu le juge Soutier-Duval au téléphone. Sa voix est sympathique. Ainsi que je m'y attendais, il a ordonné une autopsie, le corps est déjà parti à Dijon.

– Quand aurons-nous les résultats ?

Gradenne fit un geste vague qui signifiait qu'il ne savait pas... Il allait mieux et Quentin s'en réjouissait car il aurait ainsi du renfort même s'il avait pris cette affaire en mains tout seul. L'aubergiste les avait bien soignés et le dîner avait une allure de repas de fête. Le commissaire était certainement intervenu dans le choix du menu. Le petit vin de Trousseau de la région qui accompagnait la pintade aux morilles fut particulièrement apprécié par son palais. Les deux policiers profitèrent de ce repas pour se connaître un peu mieux, et la boisson aidant, la hiérarchie s'estompa, laissant la place à quelques confidences du commissaire sur des affaires anciennes... Ils en oublièrent même Verdoux pendant un moment. Ce ne fut qu'au fromage qu'ils reparlèrent de l'enquête qui les réunissait.

– Je ne serais pas surpris que les têtes pensantes du siège débarquent lundi, dit Gradenne. J'espère être sur pied. Il me plairait bien de les retourner sur le grill. Je vais tenter de joindre un de mes bons amis des Services de renseignements. Il aura peut-être des tuyaux à me donner au sujet de Verdoux. Cette histoire de Sidi Bleda me perturbe et me rappelle de tristes souvenirs… Vous êtes trop jeune pour avoir connu ces événements. En début de carrière, j'ai travaillé avec un homme remarquable, le commissaire Dufour qui est mort à présent et qui avait exercé à Alger à cette époque-là… Cette expérience l'avait beaucoup marqué. Nous avons eu de longues conversations sur ce sujet, car il avait besoin d'en parler. Ce qu'il m'a raconté était dramatique.

Gradenne soupira et fouetta l'air devant lui avec sa main comme s'il voulait éloigner une mouche imaginaire. En réalité, il cherchait à chasser de son esprit des souvenirs désagréables.

– Il avait rencontré le général de la Bollardière, mort lui aussi. C'était vraiment un homme bien. Vous savez au moins qui c'était ?

Quentin était embarrassé car si ce nom lui disait quelque chose, il était bien en peine d'en parler. Voyant sa gêne, Gradenne vint à son secours.

– Vous en avez sûrement entendu parler. Il faisait partie de ceux qui dérangeaient et que l'on a pris soin de mettre au placard. L'Histoire jugera.

– N'a-t-il pas participé aussi à un commando pour protester contre les essais nucléaires en Polynésie ?

– Bien ! Bruchet, très bien ! vous avez raison. Avouez que pour un ancien militaire, ce n'est pas mal. Il a également pris la défense du Larzac contre l'extension d'un camp militaire. Faut le faire ! Un ancien général, membre actif d'un mouvement non violent ! J'ai revu Dufour, il y a plus de vingt ans. Il était en retraite et avait continué à correspondre avec le général et je crois même qu'il l'avait revu dans sa Bretagne.

– Qu'avait-il fait en Algérie, ce général ?

– C'est le seul militaire français à s'être positionné franchement contre la torture. Étant donné son grade, c'était remarquable. Il s'est comporté en homme d'honneur, fidèle à son idéal quoi qu'il ait pu lui en coûter, ...en gentleman, diraient les Anglais ! Vous comprenez sans doute pourquoi il a été vite écarté...

Les deux policiers discutèrent encore pendant plus d'une heure. La barrière hiérarchique avait complètement disparu et le commissaire se prit même à tutoyer Quentin spontanément, sans s'en rendre compte.

– Je prendrais bien un bon grog avant d'aller au lit. Pas toi ?

Quentin qui avait déjà beaucoup bu, hésitait, mais Gradenne trancha.

– Patron, préparez-nous deux grogs, s'il vous plaît.

– J'ai passé une très bonne soirée, dit le commissaire en reposant sa serviette sur la table. Nous reparlerons demain à tête reposée de la stratégie à tenir. Il est trop tard ce soir pour que j'appelle mon ami aux « RG ».

Il se releva péniblement et tituba légèrement.

– Oh là ! Je suis un peu pompette... Mais je ne vais pas loin. Bonne nuit, Bruchet.

De retour dans sa chambre, Quentin écrivit une longue lettre à Chloé. Était-ce l'effet de l'alcool auquel il était peu habitué ou la stimulation liée à l'enquête, mais il se sentait euphorique. Il ne dit pas un mot sur ses activités en cours, insistant surtout sur son isolement et son envie de la revoir.

Après avoir bien dormi et après une bonne douche, il descendit sans bruit et déjeuna rapidement, avant de partir pour l'usine. Il était curieux de voir comment elle tournait le week-end.

Il retrouva l'ambiance habituelle faite de bruit, de poussière et de vapeurs irritantes ; rien ne la différenciait de celle d'un jour de semaine. Francis Mollex était dans sa cabine. Dès que la porte fut refermée, celui-ci demanda :

– Alors, vous avez du nouveau ? Je suppose que vous ne pouvez peut-être pas en parler…

– Vous n'avez pas tort, répondit Quentin. J'aimerais en savoir plus sur Verdoux. Y a-t-il beaucoup d'Algériens dans le personnel ?

– Chez moi, ils sont trois. Vous en connaissez un : Ahmed. Mais il y a aussi quelques Marocains.

– Travaillent-ils ici depuis longtemps ?

– Oui, pour la plupart.

– Sont-ils bien intégrés dans le personnel ?

Mollex soupira. Il hocha la tête et regarda la chaîne de production à travers la vitre.

– Vous n'empêcherez jamais ni le racisme primaire ni la xénophobie. Si vous faites un sondage dans la population, vous trouverez fatalement des anti-arabes. Mais ce sont de bons ouvriers, courageux et discrets. Je n'ai pas à m'en plaindre, ce n'est pas avec eux que j'ai des problèmes. Certains ont trouvé à se loger et ont même fait venir ici femme et enfants, d'autres logent dans des bungalows.

– Où donc ?

– Dans le bois, juste derrière. Au début, *Polybois* avait besoin de main-d'œuvre, mais les logements manquaient, alors la firme a installé six bungalows sur un terrain qui lui appartenait et y a logé là une bonne douzaine de maghrébins. Ils ne sont pas exigeants, pourtant je vous assure qu'ils vivent de façon rustique. Ils sont discrets et ont constitué une sorte de petite communauté. Ils élèvent quelques poules et ils ont aussi eu un mouton.

– C'est légal de loger du personnel de façon aussi rudimentaire ?

Mollex haussa les épaules et ajouta :

– Du moment que personne ne se plaint !... Ils ne font aucun mal.

– Et l'hiver ?

– Ils ont des poêles… Mais je n'aimerais pas être à leur place…

– Où se trouvent ces bungalows ?

– Juste derrière le bâtiment parallèle à celui-ci.

– À propos de Verdoux, lui arrivait-il de parler de ses exploits militaires devant les Algériens ?

– Parfois oui, et à la limite de la provocation. Je me souviens d'un jour où il discutait avec Karim, qui travaille à l'encolleuse, de son pays qu'il trouvait magnifique. Au cours de la conversation – si on peut dire parce qu'il n'y avait que lui qui parlait – il évoqua ses patrouilles dans le djebel et des accrochages avec les « fellouzes ». Il avait un besoin maladif de se vanter et d'écraser les autres.

– Qu'a répondu Karim ?

– Rien. Je vous dis que ce sont des gens pacifiques et discrets.

À la suite de cette conversation, Quentin choisit de s'engager sur le petit sentier enneigé qui contournait un bâtiment. À une trentaine de mètres, au milieu des arbres, il repéra les bungalows blancs d'où sortaient des cheminées fumantes. Quentin les observa quelques minutes et n'osa pas aller plus loin. Il fit demi-tour et rejoignit « son » bureau. Il était en train d'examiner les listes des membres du personnel, et plus particulièrement celles des équipes, quand il entendit marcher dans le couloir. C'était Chatel qui ne fut pas surpris de le voir.

– Déjà au travail, plaisanta-t-il. Vous arrive-t-il de dormir ?

– Avez-vous une minute ? J'aimerais discuter de quelques points avec vous.

– Quand vous voudrez. Venez au salon d'accueil, je vais nous faire du thé et nous serons mieux là-bas.

Une fois installés devant une théière fumante, Bruchet commença.

– Verdoux s'absentait-il souvent ?

– Oui, environ deux jours par semaine et personne ne s'en plaignait. Mais à son retour, il se rattrapait afin que l'on ne l'oublie pas.

– Saviez-vous où il allait ?

– Pas toujours. Depuis le début, il n'a jamais été clair sur ses déplacements.

– De sorte que vous ignorez s'il avait d'autres activités.

– En effet ! Parfois, nous savions qu'il était au siège ou dans une réunion extérieure, mais même sa secrétaire ignorait la plupart du temps où il se trouvait.

– Étiez-vous au courant qu'il avait reçu des menaces ?

– Des menaces ? s'étonna Chatel.

– Oui...

– Ma foi non, mais ça ne m'étonne pas.

– Expliquez-vous.

– Avec des homologues des autres usines, deux ou trois fois par an au cours de séminaires, nous échangeons sur nos expériences et nous tenons au courant des dernières techniques. Verdoux avait partout une sale réputation. Il a commencé comme contremaître et, peu à peu, il est monté en grade. Au siège, il avait la cote. Quelqu'un qui gère le personnel à la baguette et qui sait faire « suer le burnous » est toujours apprécié, surtout dans leurs bureaux où on ne connaît que les chiffres et les statistiques. Partout où il était passé, il finissait par se faire haïr au point que la direction trouvait plus prudent de le muter ailleurs avec un galon de plus. C'est comme ça qu'il a atterri ici comme directeur. Dans notre usine des Vosges, il avait eu une altercation avec un ouvrier qui l'avait attendu à la sortie avec un fusil de chasse. Vous voyez le tableau ?

– Et comment cela a-t-il fini ?

– Il n'y a pas eu de drame. Je n'ai pas eu tous les détails, mais l'autre a dû finir par se calmer. Quand vous me parlez de menaces, je n'en suis pas surpris, ce ne seraient pas les premières… !

– Je sais qu'il évoquait souvent ses exploits militaires en Algérie. Vous en avait-il parlé ?

– À moi comme aux autres. Il s'était engagé volontaire dans les paras… et parlait à tout propos de son école d'officiers…, mais ne nous donnait jamais de détails.

– Comment se comportait-il avec les Algériens de l'usine ?

Chatel hocha la tête et soupira. Il remplit les tasses de thé et répondit.

– J'ai eu quelques échos de la part des contremaîtres… Disons, pour simplifier, qu'il manquait de tact ou bien qu'il cherchait la provocation…

– Il n'y a jamais eu d'incidents ici ?

– Non ! avec les rumeurs de fermeture d'usine, chacun fait le dos rond... Ce n'est pas le moment de perdre son emploi !

– Sans doute, jusqu'au jour où la pression fait sauter le couvercle...

– Depuis hier, je n'arrive pas à réaliser qu'il y a eu un meurtre ici...

– Nous avons de bonnes raisons de le penser, même si ce n'est encore qu'une présomption. Le meurtrier devait savoir que le fond du magasin serait libéré un court moment quand Verdoux serait dans l'atelier-pilote.

– J'avoue que cela me trouble. Je n'arrête pas d'y penser, avec un assassin sans doute parmi nous...

– À moins que... y a-t-il des absents ?

– Nous avons quelques grippés, et le délégué syndical Michel Petrod a pris dix jours de congé. Je l'ai appris le lendemain de la mort de Verdoux.

– Est-ce vraiment un congé ?

– Absolument, j'ai vu l'autorisation signée de Verdoux. Cette absence n'a rien d'anormal. Petrod est un mécanicien souvent sollicité la nuit ou les week-ends. De ce fait, il avait un grand nombre d'heures à récupérer. Ce qui m'a surpris, c'est que Verdoux lui ait signé sa demande de congé. D'habitude, c'est le chef de service qui fait ça. Or Petrod dépend d'Henri Mandrez. Mais il ne faut s'étonner de rien. Verdoux se mêlait de tout.

– Quand rentre Petrod ?

– Lundi, c'est ce qui est prévu.

– Je reviens sur la fameuse nuit. Qui pouvait savoir que le fond du magasin serait accessible ?

– N'importe qui ! Le planning n'est pas secret et nombreux sont ceux qui peuvent en avoir connaissance. Il est consultable chez madame Triolet et dans le bureau des contremaîtres. Ce qui demeure en revanche une énigme, c'est que le meurtrier savait que Verdoux allait revenir le soir. Il faut croire qu'il en avait parlé, alors que d'habitude il ne donnait jamais son emploi du temps. À moins que ce soit un hasard... Étrange quand même !

– Je vous remercie, à lundi.

– Bon dimanche !

Quentin fila directement chez la veuve Verdoux. Elle apparut sur le seuil, en haut de l'escalier en tenue de sport.

– Pouvez-vous m'accorder un moment ? demanda Quentin.

– Oui, bien sûr, dit-elle.

Sa réponse manquait d'enthousiasme. Sans doute avait-elle d'autres projets. En entrant dans le jardin, il avait aperçu des skis de fond à l'intérieur d'une BMW grise sortie du garage.

Le vestibule était toujours dans le même désordre. Quentin remarqua un sac à dos dans l'entrée, apparemment plein, appuyé contre un carton.

– J'allais faire un tour pour me changer les idées, dit-elle pour expliquer sa tenue. Avec tous ces souvenirs... et les préparatifs du déménagement... Ici, j'étouffe ! Que puis-je pour vous ?

Quentin était embarrassé. Par où commencer ? Dans le salon, il remarqua sur la table basse des brochures touristiques sur l'Argentine. Madame Verdoux préparerait-elle un voyage ?

– Je vais sans doute vous paraître brutal, dit Quentin, mais je suppose que vous avez compris qu'il y a des présomptions de meurtre sur la personne de votre mari, et je pense que vous tenez autant que moi à ce que le meurtrier soit arrêté.

– Bien entendu ! répliqua-t-elle avec des trémolos dans la voix.

– Saviez-vous si votre mari avait une activité autre que celle qu'il exerçait chez *Polybois* ?

– Certainement pas. Il était totalement pris par son travail.

– Lorsqu'il s'absentait, saviez-vous où il allait ?

– Mais au siège, ou bien dans les autres usines... Il se rendait parfois à l'étranger pour négocier des machines, mais je ne m'intéressais pas au détail de ses activités. Je ne tenais pas un registre de ses absences !

– Bien sûr, je comprends.

– De toute façon, il me téléphonait presque tous les jours.

– Lui connaissiez-vous des ennemis ?

Elle regarda Quentin, surprise, avec une expression de crainte.

– Des ennemis... au point de le tuer ? Non, je ne vois pas. Mais il est sûr qu'avec sa position, il n'avait pas que des amis. Il était conduit à prendre des décisions qui ne convenaient pas à tout le monde. C'était un homme dynamique qui se heurtait souvent à l'immobilisme... Si vous croyez que c'est facile de faire travailler des gens qui pensent que tout leur est dû !

Personne, compte tenu des circonstances, ne pouvait reprocher à madame Verdoux de ne pas être objective. Quentin n'insista pas.

– Depuis quand connaissiez-vous votre mari ?

– Je l'ai rencontré en 1973 et nous nous sommes mariés en 1975.

– Il avait donc déjà quitté l'armée ! Vous parlait-il souvent de sa carrière militaire et de l'Algérie ?

– Cette période avait été une partie importante de sa vie. Il était très attaché à l'armée. La perte de l'Algérie a été un déchirement pour lui, vécue comme une trahison. Il s'était tellement investi...

– Je comprends. J'ai entendu dire par tous ceux qui y sont allés que ce pays a quelque chose d'envoûtant. Je suppose qu'il était partagé entre l'envie d'y retourner par nostalgie, et la crainte de revivre des moments douloureux. Sans doute aurait-il été peiné de s'y sentir étranger...

– Exactement, vous avez bien compris.

– Vous avait-il parlé de Sidi Bleda ?

En posant cette question, il observait attentivement ses réactions. Il avait abordé le sujet de façon anodine, après avoir feint une certaine compassion. Madame Verdoux ne broncha pas d'un cil.

– Non, pas spécialement, du moins cela ne m'a pas frappée. Pourquoi ? C'est une ville d'Algérie ?

– Il paraît que c'est une région très pittoresque. C'est du moins ce que m'ont affirmé des anciens d'Algérie.

Il ne pouvait pas, bien entendu, avancer les véritables raisons de sa curiosité. Aussi, il passa vite à autre chose. Il demanda s'il arrivait à son mari de travailler chez lui pour *Polybois*. Elle le conduisit alors dans une pièce bien trop petite pour constituer une chambre. Il y avait là un petit bureau, un meuble vertical à classeurs et une chaise.

– Si vous permettez, je vous laisse regarder tout seul, dit-elle.

Bruchet s'employa à fouiller partout, dans les tiroirs, les classeurs, les dossiers, mais il ne trouva rien de ce qu'il espérait, que des papiers sur le bois et ses divers usages ainsi que des rapports et notes de service. Seuls les tiroirs du bureau contenaient des dossiers. Il remit tout en place et sortit.

– Je vous remercie, dit-il pour prendre congé. Je ne vais pas perturber davantage votre journée.

– Vous faites votre travail, je comprends.

Sur le pas de la porte, Quentin vit que le sac à dos qui avait attiré son attention en arrivant avait disparu. Il se sentait étrangement perplexe parce qu'il s'agaçait de ne pas comprendre ce qui l'intriguait inconsciemment dans cette visite qui avait malgré tout un peu tourné à la perquisition.

En quittant la maison, il croisa une voiture avec des skis sur le toit et aussitôt une image lui revint à l'esprit : la présence des skis dans la voiture de madame Verdoux. Étant donné l'épreuve qu'elle venait de subir, elle avait bien le droit de se changer les idées ! Mais pourquoi avoir dissimulé le sac à dos pendant qu'il avait examiné les papiers de son mari ?

Quentin ne comprenait pas l'attitude de cette femme qu'il avait imaginée repliée sur elle-même, recherchant plutôt du réconfort dans sa famille. Les femmes de militaires devaient être d'une constitution particulière. Soupçonneux, il décida de faire demi-tour et de se garer dans une rue voisine de celle de madame Verdoux.

La BMW grise de celle-ci ne tarda pas à passer à côté de lui. D'instinct, il la suivit à distance dans la direction de Morez. Au bout d'une heure, elle bifurqua sur une petite route qui montait en lacets. Quentin leva le pied car il ne voulait pas que sa filature soit découverte. Un peu plus loin, il retrouva la BMW arrêtée sur le bas-côté. Les skis qu'il y avait vus le matin n'y étaient plus. Au sol des traces fraîches de skieur partaient sur un petit sentier. Il n'était pas équipé pour suivre cette piste. Dans le froid et l'humidité, à la fin n'y tenant plus, il décida de rebrousser chemin après avoir marqué l'endroit afin de le reconnaître. Avec son

Opinel, il taillada l'écorce d'un arbre en bordure de la route.

Il était presque treize heures quand il rejoignit Citraize.

– Où étiez-vous donc, Bruchet ? Vous avez l'air frigorifié.

Quentin, un peu penaud, raconta à son patron son escapade du matin, s'attendant à des reproches pour cette initiative prise de façon impulsive et pour cette perquisition qui n'avait pas respecté les règles de la procédure.

– Je crois bien que j'aurais agi comme vous à votre âge. Il faut suivre son instinct, mais à condition de le tenir en laisse. Si j'ai bien compris, vous mourez d'envie de retourner là-haut voir où madame Verdoux allait se promener. Elle a certainement une bonne raison pour sortir. Descendons déjeuner. À mon tour, j'ai des informations à vous communiquer.

Ils reprirent leur place préférée devant la cheminée. Ils étaient suffisamment à l'écart pour bavarder en toute discrétion.

– Je suis très bien ici, commença le commissaire, mais je me serais bien passé de cette grippe. Par téléphone, j'ai pu faire avancer nos affaires. Tout d'abord, je vous annonce que lundi matin, nous aurons un renfort. Le capitaine Ledran viendra nous aider. Que les choses soient bien claires ! C'est vous qui continuerez à mener l'enquête, même si Ledran est un ancien. Vous avez toute ma confiance, et Maurice ne s'offusquera pas de travailler avec quelqu'un de plus jeune. C'est un homme très accommodant. J'espère moi-même être sur pied car s'il faut entendre tout le personnel, nous n'avons pas fini ! Dans les circonstances présentes, il faut battre le fer quand il est chaud, si tant est que l'on trouve de la chaleur dans ce bled. Voilà pour le premier point.

– Et le second ?

– J'y viens. J'ai réussi à joindre mon vieil ami, le commissaire Patsky des Renseignements intérieurs. Il va se renseigner sur notre homme, mais il ne m'a pas caché que l'on risquait de se heurter à des obstacles même s'il est bien placé et qu'il a le bras long. En outre, il me doit quelques services.

Ils bavardèrent pendant tout le repas comme de vieilles connaissances.

– Comment comptez-vous aller faire votre balade dans les bois sans équipement ? L'aubergiste doit bien pouvoir vous fournir ce qu'il vous faut. Mais au préalable, je vous conseillerais de repérer les lieux sur une carte.

– J'aimerais bien savoir ce qui pouvait attirer cette femme dans ce coin.

– Peut-être le souvenir d'une promenade faite avec son mari, une sorte de pèlerinage. N'oubliez pas qu'elle souhaitait faire incinérer son corps. Elle allait peut-être tout simplement repérer un endroit pour disperser ses cendres. Elle a sans doute des liens affectifs avec cet endroit. Il serait délicat de le lui demander...

– Vous avez sans doute raison, j'ai le tort de voir le mal partout. Mais cette femme m'intrigue depuis que je l'ai rencontrée, et il est vrai que le chef Courtay a eu le chic pour créer le mystère.

– Mettons cela sur le compte de la déformation professionnelle. Mais n'ayez pas peur de suivre votre idée. Au pire vous ne trouverez rien, mais vous aurez pris l'air et fait de l'exercice.

Quentin alla trouver le patron de l'auberge qui lisait le journal derrière son comptoir. Il prétexta qu'il aimerait faire une petite randonnée dans les bois et Moutiers, ravi de lui être utile, l'entraîna à l'arrière de son établissement :

– Je n'ai pas de quoi équiper un régiment, mais vous devriez trouver ici ce qu'il vous faut, dit l'hôtelier.

Gradenne semblait plus fatigué que la veille ; il regagna péniblement sa chambre tandis que Quentin partait pour Crampigny. Le chef Courtay était dans son logement de fonction, mais le gendarme de permanence avait reçu la consigne de l'appeler si quelqu'un de la PJ se présentait. Ce qui fut fait.

– Quel bon vent vous amène ? demanda-t-il. Vous avez du nouveau ?

– Rien de très passionnant, je creuse mon sillon. Nous allons avoir du renfort lundi et nous pourrons ainsi interroger tout le personnel ou presque. Auparavant, j'aimerais aller faire un tour en ski de fond dans la nature et j'aurais besoin de cartes. Auriez-vous cela ?

– Mais certainement. Je ne saurais cependant trop vous recommander la

prudence. Certains endroits sont dange-
reux.

– Je comprends, aussi je souhaiterais
repérer les lieux auparavant.

– Vous avez raison.

Quentin repartit avec plusieurs cartes
topographiques et se rendit directement
à l'usine. Il y retrouva Denis Jantet, le
contremaître qui était dans sa cabine.

– Bonjour, dit ce dernier d'une voix
aimable. Vous ne vous reposez jamais
dans la police ?

Les deux hommes échangèrent quelques mots et Quentin regagna son
bureau afin d'y examiner les listings
pour établir dans quel ordre il entendrait
le personnel.

Le ciel était bas et la lumière faible. Le
bâtiment administratif ne devrait plus
recevoir de visite avant lundi.

De retour à l'auberge, il s'attendait à
voir Gradenne dans son fauteuil mais
celui-ci était au lit et dormait. Madame
Moutiers lui confirma qu'il était fatigué
et qu'il avait à nouveau de la fièvre.

Quentin dîna donc seul. Un couple de
retraités vint s'attabler à côté de lui. Ils

parlaient peu et à voix basse. Une petite musique douce invitait au calme et à la détente. Le policier, qui ne parvenait pas à oublier son enquête, goûtait malgré tout la quiétude des lieux et la chaleur du foyer où de grosses bûches se consumaient lentement. L'aubergiste le sortit de ses pensées :

– Quelqu'un vous demande au téléphone, dit-il en lui tendant le combiné sans fil.

– Allo ? Je suis Philippe Astier, de la *Dépêche comtoise*. Pourrais-je vous rencontrer ?

– Maintenant ?

– Si cela ne vous dérange pas...

Quentin réfléchit avant d'accepter à contrecœur. Comme le lui avait prédit Gradenne, la presse finirait par s'en mêler, alors autant tenter de maîtriser au mieux l'information.

Quelques minutes plus tard, entra un homme d'une bonne cinquantaine d'années, emmitouflé dans un anorak et coiffé d'une casquette à carreaux.

– C'est vous l'inspecteur ? demanda-t-il.

Quentin comprit que l'autre s'attendait sans doute à rencontrer un homme d'âge mûr fumant la pipe.

– Je suis le lieutenant Bruchet, répondit Quentin. Installons-nous au salon.

– J'ai appris que le commissaire qui vous accompagne est souffrant, commença Astier.

Cette parole irrita Quentin. D'abord, le journaleux n'avait pas à connaître ce « détail ». Ensuite, il laissait entrevoir qu'il s'adressait au sous-fifre faute de mieux. Le jeune policier revécut alors le début de sa conversation avec Lambard, « *l'ancien de La Royale* ». En l'attendant, il s'était demandé comment satisfaire le plumitif sans rien dévoiler d'important. Il choisit de s'en servir plutôt que de le subir. Dans ce coin perdu, il devait sans doute exceller dans les reportages sur le club de foot local ou la fête des bûcherons. Quentin se pencha vers lui et lui confia à voix basse :

– Je ne peux pas tout vous dire, mais sachez que le commissaire va très bien. Pour les besoins de l'enquête, il doit être joignable à tout moment. Par téléphone, il obtient des informations tout à fait fondamentales, il maîtrise l'affaire, et moi, je suis son antenne sur le terrain.

– Ah bon, on m'avait dit que...

– N'allez surtout pas l'ébruiter...

– Non, non, comptez sur moi, répondit Astier, flatté d'être dans la confidence. Il paraît qu'il y a un fait nouveau.

Quentin n'avait pas envie de lâcher le morceau. Nul doute que quelqu'un avait bavardé, et il était préférable que le journaliste n'écrive pas n'importe quoi.

– Tout dépend de ce que vous appelez un fait nouveau.

– Votre présence ici dure plus que prévu. Il s'agirait d'un meurtre... ?

– Qui vous a dit cela ?

Astier se mordit la lèvre et balbutia que c'était une rumeur qui circulait.

– Vous avez bien fait de venir aux sources. Je peux seulement vous dire qu'une instruction est ouverte et que l'enquête suit son cours.

Quentin partit ensuite dans un monologue obscur et incompréhensible dans lequel il ne disait en vérité que des banalités et, lorsque l'autre voulait des précisions, il se retranchait derrière le secret de l'instruction.

Astier prenait des notes sans broncher, et osa une question :

– Pourquoi les gendarmes ont-ils tout d'abord conclu à un accident ?

– Dans cette affaire, la gendarmerie et la police judiciaire sont totalement en harmonie. La PJ poursuit à la demande du juge d'instruction une enquête préalable qui a rassemblé les principaux indices.

Quentin accepta de se faire prendre en photo et renouvela ses mises en garde. En réalité, il n'avait rien dit qui ne soit déjà su ou que le journaliste aurait pu apprendre d'une autre façon.

De retour dans sa chambre, il déploya les cartes pour s'imprégner du parcours qu'il emprunterait le lendemain et s'endormit très vite.

Chapitre Huit

Au matin, le brouillard avait disparu. Le ciel était dégagé, mais la nuit avait été particulièrement froide. Quentin retrouva sans peine la route prise la veille, sans crainte de rencontrer madame Verdoux.

Ensoleillé, le paysage était totalement différent. Il finit par retrouver les entailles faites à l'Opinel et chaussa ses skis de fond.

Sur le sentier, des traces récentes étaient nettes, plus ou moins recouvertes de givre. Au bout d'une demi-heure, il s'arrêta pour consulter la carte. À la sortie de la forêt, la pente devenait plus raide et la neige était gelée. L'itinéraire contournait des barres rocheuses et présentait des passages délicats. Alors qu'il s'était arrêté pour boire un peu de thé chaud, il sentit une odeur de feu de bois

et remarqua une cabane dont la cheminée fumait.

À une vingtaine de mètres de la cons-
truction en gros rondins, il déchaussa les
skis et contourna l'habitation en emprun-
tant un chemin dans le sous-bois. La
cabane était juste au-dessous de lui ; il la
repéra sur la carte. Était-ce une cabane
de berger, de chasseur ou de forestier ?

Qu'est-ce qui avait bien pu pousser
quelqu'un à habiter là, en plein hiver ?
Prudent, il observa un long moment les
alentours, appuyé contre le tronc d'un
gros sapin. Il décida de se rapprocher et
même d'aller frapper à la porte, comme
un simple promeneur du dimanche.

Au niveau de la cabane, des traces gelées
témoignaient du passage d'un skieur. Les
volets étaient ouverts, il frappa à la porte,
mais personne ne répondit. Il fit le tour et
tenta de regarder par les fenêtres. Des
volets intérieurs fermés empêchaient de
voir ! L'occupant était-il parti depuis quelque temps ou revenu depuis peu ?

Sous la fenêtre, Quentin s'assit sur un
banc en rondins et tira son sandwich du
sac. Tant qu'à attendre, autant reprendre
des forces. En regardant le paysage

hivernal, il repensa à madame Verdoux. Est-ce bien ici qu'elle était venue la veille ? Pour quoi faire ? Pour rencontrer qui ? À qui appartenait cette cabane ?

Sur le chemin du retour, il ne croisa personne, à l'exception de quelques écureuils. Il n'avait rien trouvé, mais au moins, il avait fait de l'exercice.

À son arrivée à l'auberge, monsieur Moutiers l'accueillit, tout excité.

– Les gendarmes sont venus. Il faudrait que vous alliez les voir.

– Maintenant ?

– Je crois bien.

– Comment va le commissaire ?

– Un peu mieux, mais à mon avis, il a eu tort de se lever trop tôt.

– Je vais d'abord le saluer.

Gradenne lisait le journal dans son lit.

– Alors, Bruchet, qu'avez-vous trouvé ? Vous avez bonne mine.

– Je vous raconterai cela un peu plus tard, si vous permettez. Il paraît que les gendarmes me cherchent.

– En effet, mais je ne sais pas pourquoi. Vous devriez déjeuner avant d'aller chez eux. Le cerveau ne fonctionne bien que si l'estomac est garni.

À Crampigny, il était attendu avec impatience.

– Alors, la promenade a été bonne ? plaisanta Courtay.

Quentin se trouva embarrassé car, si officiellement il était parti en balade, il ne pouvait pas avouer que le motif de son déplacement avait un rapport direct avec l'enquête.

– Il paraît que vous me cherchez ?

– C'est exact. Figurez-vous que *Polybois* a été cambriolé cette nuit.

– Que dites-vous ? *Polybois* ? Qui a découvert le vol ?

– L'ingénieur Chatel. En retournant ce matin à l'usine, il a été surpris de trouver la porte d'entrée ouverte. D'après ce qu'on m'a dit, c'est vous qui seriez sorti le dernier. Vous avez bien la clé ?

Quentin était abasourdi. On ne l'accusait pas directement, mais il comprenait l'état d'esprit du chef. Il avait la clé du bâtiment, il était bien passé là-bas le samedi soir, au moment où il avait rencontré Jantet mais il était absolument certain d'avoir refermé derrière lui. Autre chose était de le prouver ?

– Qu'a-t-on volé ?

– Le contenu du coffre.

– En principe, les entreprises traitent leurs affaires par virements bancaires. Il ne devait pas contenir une fortune.

– Le mieux serait que vous entendiez les explications de Chatel. On va chez lui ou on le fait venir ici ?

– Comme vous voulez…, mais peut-être serait-il plus convenable qu'il vienne. J'ai des scrupules à perturber sa vie de famille.

– Vous avez raison. Je vais le faire appeler.

Courtay proposa une tasse de café.

– Je vous remercie. Ce n'est pas de refus, surtout après ce que je viens d'apprendre.

– Monsieur Chatel nous a alertés sur le coup de dix heures. Il voulait simplement passer prendre un dossier et a trouvé la porte ouverte. Il a d'abord pensé à vous et a cherché à vous joindre. Je tiens à préciser qu'il ne vous accuse de rien. Il a seulement cru que vous aviez oublié de fermer. En faisant une petite ronde, il a vu dans le bureau de la comptable le coffre… ouvert et… vide.

– Même si je vous dis que je suis certain d'avoir refermé derrière moi, je ne peux pas le prouver...

– Ne vous tracassez pas. Il n'y a eu aucune effraction, même pas sur le coffre. Notre cambrioleur était bien renseigné et devait probablement avoir les clés. Parlons d'autre chose... Comment avez-vous trouvé notre campagne ?

– Belle, mais un peu fraîche. Fort heureusement, il faisait grand soleil.

– Vous n'avez pas rencontré de sangliers ?

– Non, c'est aussi bien comme ça ! Ces petites bêtes, je préfère les voir de loin. Au fait, à qui appartiennent les cabanes dans la forêt ?

– Cela dépend. Certaines aux Eaux et Forêts, d'autres à des éleveurs... Vous en avez vues ?

– Oui, et il faut être fou pour habiter là l'hiver. Comment connaître les noms des propriétaires ?

– Sur le cadastre de la commune concernée, après avoir bien repéré les emplacements des cabanes sur la carte.

Le gendarme Ducret entra pour prévenir que Chatel était arrivé.

– Excusez-moi de troubler votre dimanche, intervint Courtay, mais le lieutenant Bruchet a préféré vous faire venir
plutôt que de s'incruster chez vous.

– Je vous en sais gré. J'essaye autant
que je le peux de tenir ma famille en
dehors de mes soucis professionnels.

– Expliquez au lieutenant ce que
contenait le coffre.

– Notre industrie consomme beaucoup
de bois. Le pin vient des Landes mais,
pour le reste, il vient un peu de partout et
autant que possible de la région. Cela
limite les transports. Une foule de petits
fournisseurs nous livrent leur bois, à partir
de scieries ou de petites parcelles. Par tra-
dition, ils préfèrent être payés en liquide.
C'est l'héritage d'un passé rural. Les paie-
ments ne sont réglés que deux fois par an.
Le prochain devait avoir lieu ce mardi
avec les fonds reçus vendredi après-midi.

– Ah ! Je comprends mieux, s'exclama
Quentin. Et jusqu'ici, vous n'avez jamais
eu de problème ?

– Non. L'argent reste dans un coffre
pendant quelques jours dont seule la
comptable a la combinaison. Moi-même
je ne la connais pas.

– Verdoux la connaissait ?

– Oui, le directeur et le comptable étaient les seuls habilités à ouvrir le coffre. Si mon intérim perdure, peut-être me confiera-t-on la combinaison ?

– Ou si vous êtes nommé directeur… intervint Quentin.

Pour toute réponse, Chatel sourit et fit une petite grimace signifiant qu'il avait un doute.

– Combien y avait-il dans le coffre ?

– À peu près soixante mille euros…

– Ah ! Tout de même ! s'écria Quentin.

– Environ cinquante mille pour le seul bois, et dix mille pour faire face à des réparations qui étaient programmées. Vous avez rencontré la comptable vendredi, madame Nortout.

– Je m'en souviens. Est-elle au courant ?

– Bien sûr ! Je l'ai aussitôt prévenue. Elle en est malade. Mettez-vous à sa place. À ce jour, il n'y a qu'elle qui puisse ouvrir le coffre. Elle tenait à faire les comptes séance tenante pour chiffrer le montant du vol, mais elle était si perturbée qu'en accord avec le chef, nous lui laissons jusqu'à demain.

Courtay approuva en hochant la tête.

– Si je n'étais pas retourné là-bas, nous ne l'aurions découvert que demain matin. À moins que vous n'y soyez allé vous-même, dit l'ingénieur en s'adressant à Quentin.

– Non, je n'en avais pas l'intention, mais cela aurait pu se faire.

– Je vous dois des excuses, bredouilla Chatel. En trouvant la porte du bâtiment ouverte, j'ai aussitôt pensé que vous aviez oublié de la refermer. Mais quand j'ai découvert la suite, j'ai compris qu'il ne pouvait s'agir de vous.

– Je peux vous affirmer, sans pouvoir malheureusement le prouver, que j'ai bien fermé la porte du bâtiment administratif en sortant. À ce moment précis, je me suis dit qu'une alarme serait sans doute utile. Je ne pensais pas avoir raison à ce point…

– À quelle heure êtes-vous sorti ? demanda Courtay.

– Difficile de vous préciser l'heure, mais la nuit tombait.

– Je suppose que le – ou les – cambrioleur a dû faire le coup en pleine nuit, dit Courtay.

– Qui était chef d'équipe cette nuit ? demanda Quentin.

– Vous avez vu Denis Jantet dans la soirée, répondit Chatel, il a été remplacé à vingt heures par Marc Bonnier jusqu'à ce que Francis Mollex prenne la relève à quatre heures.

– Je les ai entendus tous les trois, intervint Courtay. Ils tombaient des nues. Aucun n'a vu ou entendu quoi que ce soit. Nous n'avons aucun indice qui puisse préciser l'heure du vol.

– Imaginez, dit Quentin, que le cambrioleur ait refermé le coffre et toutes les portes derrière lui. Ni vu, ni connu, le pot aux roses n'aurait été découvert que demain matin ou même mardi…

– En attendant, soupira Chatel, nous risquons l'émeute. Tous ceux qui devaient venir chercher leur argent mardi vont défiler à partir de demain. En temps ordinaire, c'est déjà la pagaille, mais cette fois ce sera la révolution. Vous n'avez pas idée ! Je vais devoir annoncer cela à ma hiérarchie et je ne m'attends pas à des félicitations.

– Vous devrez aussi affronter la presse, intervint Quentin. J'y ai eu droit hier et, comme les nouvelles vont vite, attendez-vous à un appel.

– Je vous remercie, messieurs, nous verrons demain, conclut Courtay.

Quentin discuta un moment avec Chatel devant sa voiture, puis les deux hommes se séparèrent. Le policier se hâta de rentrer à l'hôtel pour rapporter ce nouvel incident à Gradenne.

Le commissaire était dans son fauteuil et bavardait avec le capitaine Maurice Ledran. Calme et posé, tout le contraire d'un baroudeur, celui-ci avait la réputation d'un homme de réflexion et parlait peu. Fin limier, il aurait pu passer commissaire ou au moins commandant s'il en avait eu l'ambition, mais il exécrait les responsabilités administratives et ne se plaisait que sur le terrain à la recherche de la vérité.

– Salut, Bruchet. Alors, il paraît que tu fais des étincelles ? Gradenne ne tarit pas d'éloges sur toi.

Quentin, bien que flatté par le compliment, se sentit un peu gêné. Ledran, à un an ou deux de la retraite, l'avait tutoyé dès son arrivée dans la brigade. En revanche, lui n'y parvenait pas, en raison de la différence d'âge et sans doute aussi à cause du prestige de l'homme.

– Je croyais que vous ne deviez arriver que demain, répondit-il.

– J'ai préféré rouler tranquillement et me mettre au courant dès ce soir. Comme ça, on pourra attaquer sans perdre de temps.

– Que vous voulaient nos amis de la maréchaussée ? demanda Gradenne.

Quentin sourit et regarda tour à tour ses deux collègues sans dire un mot. Il fit attendre sa réponse pour produire son petit effet.

– Figurez-vous, lâcha-t-il enfin, que *Polybois* a été cambriolé cette nuit.

Quentin fournit à ses collègues stupéfaits tous les détails qu'il connaissait.

– Décidément, il s'en passe des choses bizarres dans cette usine, dit Ledran, même si je ne vois pas de relation entre ce vol et le meurtre. Quelqu'un a voulu probablement profiter du flottement dans l'organisation de l'entreprise. Mais le vol est surtout lié au remplissage du coffre deux fois par an.

– Vous ne nous avez pas encore raconté votre escapade de ce matin, coupa Gradenne.

– C'est vrai. J'ai au moins fait une bonne promenade. Je ne comprends pas ce qui pouvait attirer madame Verdoux dans un coin aussi isolé.

À l'intention de Ledran, il expliqua les raisons de sa curiosité, pourquoi il avait entrepris cette randonnée matinale à ski, et sa surprise de trouver une cabane habitée en pleine forêt au milieu de l'hiver.

– Il n'y a peut-être aucun rapport avec ce qui nous concerne, mais je comprends parfaitement ce qui intrigue Bruchet. J'envie aussi sa jeunesse, car ce n'est pas moi qui serais allé dans les bois ce matin.

– Il faut absolument savoir à qui appartient cette cabane, intervint Gradenne.

Ledran, qui avait sans doute été averti par le commissaire, insista pour préciser son rôle dans leur collaboration :

– Bien entendu, je laisse l'initiative de l'enquête à Bruchet. Je suis là pour donner un coup de main, pas pour commander. J'ai passé l'âge de prétendre à un avancement.

– Je vais descendre dîner avec vous, affirma Gradenne d'un ton énergique.

Au diable mon infirmière ! Je me sens mieux et je me ramollis ici.

Installés devant le feu de bois, ils firent honneur au repas tout en échangeant leurs idées sur l'affaire. Ledran affinait ses notes en posant les questions qui lui permettraient de compléter son information.

– Si Bruchet n'y voit pas d'inconvénient, je le laisse poursuivre son intuition. Le flair est quelque chose de très personnel et, jusqu'à présent, nous n'avons pas à nous plaindre du sien. Je vais entendre les personnes qu'il m'indiquera et, par ailleurs, je vais m'attacher à étayer le dossier.

– C'est-à-dire… ? demanda Quentin.

– Je vais tout simplement recouper les différents témoignages pour déceler d'éventuelles incohérences. C'est la routine…

En revenant dans sa chambre, Quentin trouva la lettre qu'il avait écrite à Chloé et qu'il avait oublié de poster, trop pris par l'action. « *Peu importe,* songea-t-il, *il n'y a pas de levée le dimanche* ». Il la plaça bien en vue avec l'intention de la confier le lendemain à l'aubergiste pour qu'il la donne au facteur.

Le lendemain matin, Bruchet et Ledran arrivèrent tôt à l'usine. Chatel était déjà là et semblait tendu.

– J'ai envoyé un mail à Lambard, sans dire de quoi il s'agissait, pour qu'il me rappelle de toute urgence. Je n'attends pas de réponse avant neuf heures.

– Pourrions-nous disposer de la salle de réunion pour que mon collègue puisse entendre les différents témoins ?

– Mais certainement, sans problème.

– J'ai établi une liste des personnes à interroger. Nous voulons éviter de perturber votre production, aussi je souhaiterais que vous convoquiez le personnel en équipe afin qu'il vienne en dehors des heures de travail.

– Je comprends et je m'en occupe.

– Je vais faire visiter l'usine à mon collègue, si vous le permettez.

Quentin, qui connaissait désormais les lieux, fit faire à Ledran le tour de l'usine et lui présenta Marc Bonnier, le chef de l'équipe A qui était désormais du matin. Ensuite, ils allèrent dans l'atelier-pilote rencontrer Guardac. Ledran examina longuement la scène de crime et demanda à

Quentin de lui décrire ce qu'il avait vu dans le magasin qui était toujours condamné par les scellés. Ledran estima qu'il n'était pas nécessaire de l'ouvrir pour lui.

– Tu as été perspicace, admira Ledran. Sans toi, on passait complètement à côté.

Dans le bureau de Quentin, ils se mirent d'accord sur les points essentiels à éclaircir. Après quoi, Ledran alla s'installer dans la salle de réunion. Il avait l'intention d'entendre d'abord la comptable, madame Nortout, et ensuite la responsable administrative, mademoiselle Daudet. Quentin, lui, s'était réservé le responsable maintenance et les techniciens du labo.

Mandrez entra avec l'air maussade.

– Vous nous portez la poisse, dit-il en préambule. Déjà que les finances n'étaient pas brillantes ! Après un coup pareil, l'usine va en crever.

– Depuis quand êtes-vous ici ?

– Depuis trois ans. Avant j'étais au siège, je m'occupais de tous les investissements industriels.

– Vous vous entendiez bien avec monsieur Verdoux ?

L'autre hésita et fit la moue.

– Comme tout le monde, répondit-il d'un ton vague. Sous le prétexte qu'il avait été dans toutes les usines du groupe, il croyait tout savoir.

– Vous dirigez combien de personnes ?

– En tout, j'en ai vingt-cinq dans mon équipe. Le personnel de maintenance peut être appelé à n'importe quelle heure du jour et de la nuit. Il faut donc avoir du monde en réserve.

Mandrez développa ensuite la charge de ses responsabilités qu'il estimait écrasantes. Selon lui, le bon fonctionnement de l'usine reposait surtout sur son service. Quentin, qui commençait à avoir sa petite idée, ne lui demanda pas pourquoi la production était si souvent en panne. Au cours de la discussion, Mandrez ne résista pas à évoquer sa formation. Comme tout ingénieur, il sortait de la meilleure école. « *Quand j'étais aux Arts...* » dit-il plusieurs fois de façon anodine pour que ce soit bien entendu, en écho au « *Quand j'étais dans La Royale...* » de Lambard. Pour ne rien gâter, Mandrez précisa qu'il avait été chef mécanicien dans la marine nationale... Décidément, *Polybois* avait l'esprit de famille !

Après Mandrez, Quentin entendit Vincent Nandrain, un des techniciens du laboratoire. Âgé d'une trentaine d'années, il était dans l'usine depuis huit ans. Sa formation ne le prédisposait pas à faire ce travail puisqu'il avait commencé par étudier l'horticulture. Il avait appris sur le tas et se plaisait dans cette fonction. Il s'entendait très bien avec Guardac et évitait le plus possible d'avoir affaire à Verdoux. Il se sentit en confiance avec Quentin, et sa déposition tourna vite à la confession. Il semblait soulagé de pouvoir libérer sa conscience.

– Je n'aimais pas la façon de tricher de Verdoux, avoua-t-il.

– Que voulez-vous dire ?

– Nous avons le label « Qualité France » pour nos panneaux. Mais il faut voir comment on l'obtient.

– Expliquez-vous.

– Deux fois par an, le contrôleur de l'organisme vient ici. Je l'accompagne dans le magasin et il choisit au hasard dans nos piles des panneaux de certaines catégories. C'est lui qui décide. Il tamponne chacun d'eux dans deux coins opposés et signe dessous avec un feutre. Nous devons ensuite découper une bande centrale d'un mètre que nous gardons, puis lui expédier les deux bouts dans un délai de huit jours. Sur la bande centrale, nous procédons immédiatement à des essais. Les mêmes qui seront effectués par l'organisme « Qualité France ». Si les essais sont bons, tout va bien et nous expédions les échantillons.

– Sinon ?

– Sinon, nous en recherchons d'autres, jusqu'à ce qu'ils soient satisfaisants et ce sont ceux-là qui partent.

– Et les tampons ?

– C'est là que la tricherie commence. J'ai été invité de façon très explicite à m'en procurer un faux et à imiter la griffe du contrôleur.

– Cela s'appelle usage de faux et falsification. Vous pouviez refuser !

– Bien sûr ! Mais j'aurais alors dû chercher un autre emploi. Petit à petit, on est pris dans l'engrenage. On nous rabâche que l'usine est en péril et qu'elle risque de fermer. Quand les panneaux étaient mauvais, c'était moi qui trinquais en premier, comme si j'étais responsable. Alors, croyant ainsi servir l'entreprise, j'ai peu à peu sombré dans la tricherie…

– En quelque sorte, vous étiez victime d'un chantage…

– Si la supercherie avait été révélée, Verdoux ne m'aurait pas couvert, alors qu'il était parfaitement au courant. Pire, il me poussait à agir ainsi. Le faux tampon qu'il m'a suggéré d'utiliser, j'ai dû le payer de ma poche. Je sais que j'ai mal agi, mais à présent, c'est terminé. Je souhaite que ce détail reste entre nous.

– Pour autant que cela n'intervienne pas dans mon enquête, je n'en ferai pas état.

Quentin ressentit le besoin de se détendre et de marcher un peu. Il retourna dans le hall de production pour bavarder avec Marc Bonnier. D'instinct, il avait compris que cet homme se sentait plus à l'aise dans la forêt que dans la poussière et les vapeurs de formol. Il l'attendit quelques minutes dans la cabine.

– Pas de problème, ce matin ?

– Nous avons eu une panne d'hydraulique, mais c'est la routine. Nous n'avons
été arrêtés qu'une heure. Si les joints
étaient mieux surveillés, cela n'arriverait
pas…

– Vous connaissez bien la campagne
aux environs ?

– Un peu. Pourquoi ? répondit Bonnier avec un sourire de satisfaction qui
signifiait que ce sujet l'inspirait mieux
que les panneaux.

– J'ai fait une petite randonnée hier, et
j'ai trouvé la forêt magnifique. Vous êtes
chasseur ?

– Oh non ! s'écria-t-il. Je cherche seulement les champignons et les truffes.

– Les truffes ?

– Oui, mais je ne vous dirai pas où, dit-
il avec un sourire entendu.

– Savez-vous à qui appartiennent les
cabanes dans la forêt ?

– Ça dépend… Les Suisses rachètent
les meilleures et les retapent pour y venir
le week-end. Ils achètent tout les Suisses ! Il y a aussi des abris de bergers ou
de forestiers. Il faudra que vous deman-

diez à Petrod. Il a une cabane dans les bois dont il a hérité de son grand-père.

– Michel Petrod, le délégué syndical ? Dommage, il est en vacances !

– Oui, mais vous aurez l'occasion de le voir, il devrait bientôt rentrer.

– Vous connaissez sa cabane ? demanda vivement Quentin, vous savez où elle se trouve ?

Bonnier fut un peu surpris par l'intérêt du policier pour une cabane dans les bois. Il se retourna et, avisant une vieille carte du département punaisée sur la paroi de la cabine, il désigna un endroit.

– C'est par là, dit-il en montrant une aire au sud de Berthonex.

– Tiens, c'est justement dans ce coin que je me suis promené. J'ai vu une jolie cabane en rondins.

– C'est peut-être celle-là...

Quentin était très intrigué. La cabane qu'il avait découverte la veille pourrait donc avoir un lien avec quelqu'un de l'usine. Il avait du mal à maîtriser son excitation et retourna aussitôt dans la voiture récupérer les trois cartes empruntées aux gendarmes, puis il revint voir Bonnier.

– Ce serait amusant que je sois tombé dessus, dit-il en étalant une carte sur la table devant le contremaître.

Volontairement, il en avait déplié une qui n'était pas la bonne. Bonnier se concentra et se repéra, puis hocha la tête et en ouvrit une autre. Du bout du doigt, il suivit un itinéraire et enfin pointa un petit carré.

– C'est là, dit-il. Il va parfois y passer ses jours de repos. J'y suis déjà allé en automne. C'est un coin très sympa, mais très isolé.

C'était bien la cabane que Quentin avait vue ! Qu'était donc venue y faire madame Verdoux ? Il jugea bon de brouiller les pistes.

– Non, je ne suis pas allé aussi loin. Ce n'est donc pas de celle-là qu'il s'agit.

En quittant Bonnier, il alla voir où en était son collègue.

– Ah ! te voilà, fit Ledran. J'ai du nouveau à t'apprendre.

– Moi aussi, répondit Quentin.

– Si nous allions raconter tout ça à Gradenne, cela nous éviterait de nous répéter, qu'en penses-tu ?

– Bonne idée, d'ailleurs je commence à avoir faim. Il est bientôt midi.

En sortant dans le couloir, ils rencontrèrent Chatel qui semblait déprimé.

– Quelque chose ne va pas ? demanda Quentin.

– Ah ! Ne m'en parlez pas. Je viens d'avoir Lambard au téléphone. Il va venir demain. Je vais passer un mauvais moment.

– Pendant que j'y pense, puis-je savoir quand rentre Michel Petrod ?

– Bonne question, on va se renseigner auprès de mademoiselle Daudet.

Ils se rendirent dans son bureau pour obtenir cette précision.

– C'est étrange, dit celle-ci surprise, il aurait dû revenir ce matin. D'habitude, il est parfaitement ponctuel.

– Il a de la famille ?

– Non, il vit seul, du moins à ma connaissance. C'est un homme charmant mais qui est peut-être un peu trop solitaire.

Tandis que les policiers s'éloignaient, Chatel les rappela.

– À propos des journalistes, vous aviez raison. J'ai été contacté deux fois hier soir, mais je m'en suis tiré en leur disant que seuls les gendarmes avaient le droit de parler. Ils n'ont pas insisté.

En arrivant à Citraize très proche de Berthonex, ils se rendirent aussitôt chez Gradenne qu'ils trouvèrent rasé et habillé, en train d'écrire.

– Alors, mes gaillards, la pêche a été bonne ? Qui commence ?

– Honneur aux anciens, dit Quentin en désignant Ledran.

– Ce matin, j'ai entendu mademoiselle Daudet et madame Nortout. La comptable a du mal à encaisser le vol d'hier même si elle n'y est pour rien. Il faudrait l'avoir à l'œil car elle risque de déprimer. Elle fait partie de ces collaborateurs en voie de disparition qui sont dévoués corps et âme à leur entreprise. Elle est de la race de Vatel, vous savez, le fameux cuisinier qui s'était suicidé parce que le poisson n'arrivait pas.

– J'espère qu'elle surmontera cette épreuve, dit Gradenne.

– Quant à mademoiselle Daudet, c'est tout différent. Une véritable pie-grièche. Un physique agréable, quoique ce ne soit pas mon genre, mais un caractère de chien. Ses airs de grande dame ne trompent personne. Elle m'a brossé un tableau des plus élogieux de son patron. Compétent, dynamique, intelligent et j'en passe…

– C'est bien la première ! s'exclama Quentin.

– À ce propos, je me demande si entre elle et lui, il n'y a pas eu…

– Elle t'a fait des confidences, Maurice ? plaisanta Gradenne.

– Oh non ! Je n'ai aucune preuve. C'est une simple intuition. Croyez-en ma vieille expérience. Dans ma carrière, j'ai interrogé des milliers de personnes, quelles soient témoins, suspectes ou inculpées. Comme je l'ai un peu chatouillée de ce côté-là, elle est tombée dans le panneau. Je cherche toujours à comprendre la psychologie qui anime les gens. Cela explique beaucoup de choses. Mais j'ai gardé le meilleur pour la fin.

– Tu nous fais languir, s'indigna Gradenne qui faisait mine d'être contrarié.

– Comme j'avais fini assez tôt mes auditions, j'ai procédé à quelques vérifications sur des points qui me semblaient importants. Je sais par expérience que ce qui paraît évident cache souvent des failles. Vous avez sans doute en mémoire que Guardac était dans les Landes au moment des faits. Cela le mettait évidemment hors de cause. Par curiosité, j'ai voulu vérifier.

– Et alors ? s'inquiéta Quentin.

– Figurez-vous qu'il avait quitté l'usine des Landes un jour plus tôt.

– Comment avez-vous appris cela ?

Ledran sourit avec une mimique qui signifiait : « *c'est le métier, mon cher* », tandis que Gradenne éclata de rire en voyant la surprise de Quentin.

– Mais alors, continua Quentin, il devient suspect et même très suspect. Il haïssait Verdoux et il connaissait parfaitement les lieux !

– Tu n'as pas tort, répliqua Gradenne qui, spontanément, était passé au tutoiement, mais quelque chose m'échappe. Comment pouvait-il savoir que le fond du magasin serait dégagé puisque la fabrication des panneaux « flamme » n'a été décidée que le jour même ?

– Avez-vous songé à l'éventualité du meurtre collectif ? suggéra Ledran.

– Que veux-tu dire ? demanda Gradenne.

– Ce n'est qu'une hypothèse, l'idée
m'en est venue hier quand j'ai entendu
que Verdoux suscitait autour de lui bien
plus de haine que d'admiration et que ce
sentiment était général.

– Sauf pour mademoiselle Daudet,
plaisanta Gradenne. Mais ton idée impli-
querait une large complicité, une sorte
de conspiration...

– N'exagérons rien, mais évitons de ne
travailler que sur l'hypothèse d'un seul
assassin. Il faudra soigneusement décor-
tiquer les emplois du temps des uns et
des autres, comparer les témoignages,
les procès-verbaux et relever les incohérences.

– J'ai oublié de vous dire, coupa Gradenne, que nous allons avoir la visite du
juge Soutier-Duval.

– Ici ? demanda Ledran.

– Oui, je lui ai dit de venir ici d'abord.
Ensuite nous irons sur les lieux. Je me
sens assez d'attaque pour vous accompagner. Il a prévu de passer en début
d'après-midi. Nous l'attendrons.

– À propos de visite, poursuivit Quentin, les « huiles » de *Polybois* seront là demain. Chatel est terriblement stressé.

– Je le comprends, admit Gradenne. À présent, passons à table. Au menu, la dernière découverte de Bruchet !

Couverts en main, Quentin fit un résumé de ses entretiens en insistant sur la tricherie à laquelle avait été contraint de se livrer Vincent Nandrain.

– Ce genre de falsification est beaucoup plus fréquent que l'on ne pense, soupira Ledran. Dès qu'il y a des enjeux financiers, tous les coups sont permis. Le sportif se dope, le commerçant écoule une marchandise avariée, le politicien trompe ses électeurs… Ah ! Nous vivons une triste époque. Mais continue, Bruchet…

– Je crois qu'hier, je n'ai finalement pas perdu mon temps. J'ai appris ce matin que la cabane où je suppose que madame Verdoux s'est rendue samedi, appartient au délégué syndical de *Polybois*. Il aurait dû revenir ce matin et il est toujours absent.

– Fichtre ! s'exclama Gradenne. Voilà qui est fort !

Il reposa sa fourchette, but une gorgée d'eau et ajouta :

– Si je me souviens bien, il était à couteaux tirés avec Verdoux...

– C'est vrai. Du moins, c'est ce qu'on m'a rapporté.

– Il faut absolument retrouver ce gaillard au plus vite, proposa Ledran.

Ils étaient seuls dans la salle et pouvaient bavarder à l'aise. Gradenne, bien qu'amaigri, semblait avoir récupéré de l'énergie. Moutiers venait de leur servir le fromage quand le téléphone sonna sur le comptoir. L'aubergiste revint avertir Gradenne qu'on le demandait.

– Passez-le-moi dans ma chambre, dit-il en gravissant l'escalier d'un pas alerte.

– Il a bien récupéré, le patron, observa Quentin.

– Oui, mais j'espère qu'il ne se surestime pas. Je le connais depuis longtemps. Pour rester au lit, il devait être bien secoué.

– Pour revenir à Petrod, vous pensez qu'il pourrait être le coupable ?

– Tout est possible ! Pour l'instant, les faits sont pour le moins troublants. En tout cas, nous ne manquerons pas de questions à lui poser.

Gradenne ne revenait pas. D'un commun accord, ils prirent leur dessert et décidèrent de l'attendre pour le café.

– De toute façon, nous devons aussi attendre le juge, dit Ledran avec philosophie.

Quand le commissaire redescendit l'escalier, une feuille à la main, il avait l'air soucieux.

– Mon ami Patsky a fait des miracles, dit-il en baissant la voix. J'ai obtenu des informations de première.

– Raconte, mais mange ta tarte d'abord, plaisanta Ledran.

– Le train de vie du sieur Verdoux ne s'explique pas, même avec un salaire de directeur. Il vient d'une famille picarde sans fortune. Son père était cheminot et sa mère faisait la cuisine dans une cantine scolaire. Engagé dans les paras à l'âge de dix-huit ans, il a quitté l'armée en 1962.

– Avez-vous pu obtenir des détails sur ses états de service ? demanda Quentin.

– Non ! Patsky n'a pas pu avoir accès à son dossier. Il a fini comme lieutenant, c'est tout ce que j'ai pu savoir. Je reprends. Sa femme qui a douze ans de moins que lui n'avait pas de fortune non plus. Elle tenait une boutique d'articles de mode à Toulouse. Or, ce monsieur possède un chalet en Suisse, une propriété de quatre hectares dans le Périgord avec une bâtisse du XVIIIᵉ, un appartement à Paris et un autre à Cannes. Pas mal, non ? Sans parler des comptes qu'il doit probablement avoir ici ou là. Je ne vous parle que de ce qui est visible au soleil.

– Et le percepteur ne lui cherche pas des poux dans la paille ? s'écria Quentin.

– S'il est protégé en haut lieu, il ne risque rien… murmura Ledran.

– J'ai évoqué à Patsky notre idée sur la vente d'armes. Il a même parlé de trafic. Le simple fait que son dossier soit verrouillé est un indice.

– Je ne comprends pas, s'étonna Quentin, pourquoi il se cassait la tête avec cette usine. À sa place, moi j'aurais profité de mes rentes et je me serais fait oublier.

– Toi peut-être, mais pas lui, répliqua Gradenne. L'appât du gain fait perdre la tête. L'usine n'était qu'une sorte de couverture qui lui permettait de traiter ses petites affaires. L'argent appelle l'argent… Et puis, ses activités occultes devaient assouvir ses appétits de pouvoir. C'est probablement là qu'il s'épanouissait et pour cela sa couverture devait être honorable. Je vous propose de prendre le café. Rien ne nous empêche d'en reprendre un autre avec le juge.

– Tout porte à croire que Verdoux n'a pas fait fortune de façon ordinaire, reprit Ledran. Je ne dirai pas qu'il a fait un hold-up, quoique… Le commerce des armes et peut-être d'autre chose… qui sait… est très lucratif !… Ce genre d'activité rapporte gros mais n'est pas sans danger. Dans ces milieux-là, on ne se fait pas de cadeaux.

– Tu penses à un règlement de compte ? suggéra Gradenne.

– Dans ce cas, s'étonna Quentin un peu dépassé, pourquoi le supprimer ici, dans son usine ? Il aurait été plus simple et plus discret de l'abattre au coin d'un bois !

– Précisément ! répliqua Ledran. S'il avait été abattu au coin d'un bois comme tu dis, l'enquête aurait immédiatement été orientée dans une direction différente, tandis que là... N'oublie pas qu'il s'en est fallu d'un poil que l'on n'envisage pas l'hypothèse du meurtre. Sans ta perspicacité, l'accident aurait été retenu et le dossier classé.

– C'est vrai, admit Gradenne. Mais revenons un peu sur terre et faisons parler les faits, rien que les faits. C'est demain que viennent les « huiles » de *Polybois* ?

Quentin approuva d'un signe de tête.

– Eh bien, je vais me les payer, si tu permets, Bruchet.

– Pas de problème, patron, moi, je vais cuisiner Guardac.

– Si Petrod n'est pas là demain, il faudra lancer un avis de recherche, proposa Ledran.

– À moins d'aller le cueillir dans sa cabane, suggéra Quentin.

– Nous verrons.

Moutiers vint les prévenir qu'un homme les demandait.

– Ce doit être le juge, dit-il, il ne sera pas venu pour rien.

Ils se levèrent tous les trois et se dirigèrent vers le hall. Un homme grand, vêtu d'un anorak rouge, sourit en les voyant et ôta son bonnet de laine, libérant une abondante chevelure bouclée.

– Bonjour, messieurs. Je suis le juge Soutier-Duval. Excusez-moi d'être un peu en retard, mais la route n'est pas facile.

– Prendrez-vous un café ? demanda Gradenne.

– Très volontiers. Je vois que vous êtes rétabli et j'en suis très heureux.

– Je suis coriace et très bien secondé...

Chapitre Neuf

À l'hôtel du Grand Tétras, après une heure de discussion et deux autres cafés, le juge se redressa sur son fauteuil et soupira.

– Je suis satisfait de voir que l'enquête avance bien. D'après ce que j'ai lu dans vos procès-verbaux, vous ne manquez pas de pistes, reste à retenir la bonne. Somme toute, nous avons plusieurs mobiles possibles et quelques suspects.

– Si cela ne vous dérange pas, proposa Quentin à Ledran, j'aimerais que vous alliez vous-même cuisiner un peu madame Verdoux. Je pense que vous lui en imposerez plus que moi. Cette femme m'intrigue et me fascine un peu. Je crains de ne pas être complètement objectif. J'aimerais savoir si elle connaît Petrod, et si oui, de quelle nature sont leurs relations.

– Je te vois venir, enchaîna Gradenne. Si je suis ta pensée, madame Verdoux pourrait avoir une liaison avec Petrod, et ils auraient comploté l'assassinat du mari.

– Cela reste théorique, intervint le juge. Pas de maladresse, je vous prie. Du tact ! Jusqu'à preuve du contraire, madame Verdoux est l'épouse de la victime, et elle vient de perdre son mari dans des conditions pénibles.

– Je ne l'oublierai pas, dit Ledran calmement.

– Ne perdez pas de vue, poursuivit le magistrat, que rien ne prouve encore une quelconque relation entre eux. Il s'agit peut-être d'une simple coïncidence.

– Je trouve étrange, cependant, reprit Gradenne pensif, que, comme le meurtrier n'a eu que quelques minutes pour quitter l'atelier-pilote, il devait obligatoirement être parfaitement informé. Ce ne peut donc être que quelqu'un de l'usine.

– Il y a aussi ces menaces clairement exprimées en rapport avec les événements d'Algérie, continua le juge. Avez-vous interrogé cet… Ahmed ?

– Non, pas encore, mais j'ai prévu de le faire. Il est de repos cette semaine. Je l'ai

convoqué pour cet après-midi avec
d'autres.

– Très bien. Je crois que nous pouvons
y aller.

Les trois policiers prirent place dans la
voiture de Gradenne, conduite par Quentin. Le juge prit la sienne car il voulait
repartir directement depuis l'usine. Sur
place, il estima qu'il convenait, par courtoisie, de rencontrer d'abord Chatel,
directeur par intérim. Leur arrivée en
force impressionna l'hôtesse d'accueil,
surtout lorsque le juge se présenta. Elle
n'en avait jamais vu un d'aussi près et le
regardait avec curiosité. Son intérêt était
d'autant plus légitime que Soutier-Duval
ne correspondait en rien à l'image que le
commun des mortels pouvait se faire
d'un magistrat. L'ingénieur arriva aussitôt et entraîna ses visiteurs dans la salle
de réunion.

– Je pense que vous comprenez le sens
de ma visite, commença le juge. J'ai tenu
à me rendre compte sur place. Je ne
peux malheureusement rien vous dire
concernant l'avancement de l'enquête.
Le commissaire et les inspecteurs me
tiennent au courant, et je sais que vous

leur facilitez la tâche autant que vous le pouvez, ce dont je vous remercie.

– C'est tout naturel, répondit Chatel. J'ai hâte que cette affaire soit élucidée car le climat ici est vraiment tendu. Surtout depuis le cambriolage.

Le juge s'intéressa à l'entreprise, à ses produits, à ses débouchés et ses perspectives. Il posa des questions sur le personnel. Chatel répondait avec calme et précision.

– Nous n'allons pas abuser de votre temps, conclut Soutier-Duval, je vais aller sur les lieux du crime pour me rendre compte. Pour ma culture personnelle, j'aimerais aussi profiter de l'occasion et faire un tour dans l'usine.

– Mais certainement, comme vous voudrez.

– Je ferai le guide, si vous permettez, proposa Quentin, car je suppose que vous avez du travail, d'autant plus que demain…

Chatel hocha la tête en faisant comprendre que la perspective de la visite de ses chefs ne l'enthousiasmait pas.

Quentin guida le groupe vers l'atelier-pilote. Il alla saluer Guardac et lui présenta le juge. Il observait l'ingénieur du coin de l'œil, mais l'autre ne montrait aucune inquiétude. Soutier-Duval examina avec attention la porte du fond, puis se fit commenter le fonctionnement de la presse. Il semblait satisfait des explications.

– Bon ! Tout cela est fort bien. Montrez-moi l'usine de production à présent, demanda-t-il en se tournant vers Quentin.

Gradenne et Ledran retournèrent dans le bâtiment administratif tandis que Quentin entraînait le juge vers les ateliers pour une visite rapide de la chaîne. Celui-ci se montra intéressé par cette industrie qu'il ne connaissait pas. Avant de repartir, il revint saluer le commissaire et Ledran. Gradenne semblait à nouveau fatigué. Quentin pensa qu'il avait été imprudent de sortir, aussi fut-il rassuré de l'entendre dire au juge :

– Pourriez-vous me ramener à l'hôtel ? Je me sens un peu las et je tiens à être d'attaque demain pour affronter les responsables du siège.

Après leur départ, Quentin expliqua à Ledran comment trouver la maison des

Verdoux. Ensuite il alla voir Chatel pour le rendez-vous avec Ahmed.

– Je lui ai demandé de passer vers seize heures. Le voici, d'ailleurs ! Les autres personnes que vous souhaitez rencontrer sont déjà à l'atelier d'entretien.

– Bonjour, Ahmed. Asseyez-vous.

Intimidé, Ahmed tripotait son bonnet, signe de stress évident. Pas très grand, sans âge précis, une vilaine dentition lui donnait un air plutôt misérable. Il n'osait pas regarder Quentin en face.

– Depuis combien de temps êtes-vous en France, Ahmed ?

– Une vingtaine d'années, le temps passe vite.

– Vous êtes seul en France ?

– Oui, ma famille est restée au pays.

– Où habitez-vous ?

– Dans un bungalow de *Polybois*, juste derrière.

– Vous n'avez pas trop froid en ce moment ?

– On s'arrange, répondit Ahmed avec un mouvement d'épaules.

– De quelle région d'Algérie venez-vous ?

– De Kabylie.

Quentin ne savait pas comment aborder le vif du sujet. Il tournait autour du pot et hésitait à brusquer Ahmed. En le regardant, il le trouvait bien inoffensif. De quoi cet homme avait-il peur ? Aurait-il quelque chose à se reprocher ou bien avait-il été témoin d'une scène qu'il n'aurait pas dû voir ?

– Vous étiez ici avant l'arrivée de monsieur Verdoux ?

– Bien avant. Il y a douze ans que je suis chez *Polybois*.

– Vous a-t-il parlé de l'Algérie ?

– Des fois...

– Vous saviez qu'il avait été là-bas pendant la guerre ?

– Oui ! Il en parlait beaucoup.

– Qu'en pensez-vous ?

Ahmed soupira et releva la tête pour regarder Quentin

– C'est la vie... Et puis, c'est du passé...

– Vous connaissez Sidi Bleda ?

– Comment vous dites ?

– Sidi Bleda.

– Non, c'est où ?

– En Kabylie

Ahmed hocha la tête et soupira.

– C'est grand la Kabylie...

– Vous étiez en poste la nuit où monsieur Verdoux est mort.

– Oui, répondit-il en baissant les yeux.

– Essayez de vous souvenir. Quand vous avez débarrassé le fond du magasin, avez-vous remarqué quelque chose d'inhabituel ?

Quentin avait posé sa question en regardant Ahmed bien en face, guettant la moindre de ses réactions. Celui-ci réfléchit longuement et releva les yeux vers le policier pour répondre.

– Non ! Cela fait déjà longtemps. La nuit, vous savez, avec le travail...

– C'est très important. Vous comprenez pourquoi ? C'est vous qui avez dégagé la porte du fond par où est sorti celui qu'on peut supposer être l'assassin. Si vous avez vu quelque chose, il faut nous le dire. Sinon, vous pourriez avoir des ennuis.

Ahmed regarda Quentin dans les yeux et bredouilla :

– J'y suis pour rien, chef !

– Vous n'avez vraiment rien vu ?

– Non, je vous dis, rien de spécial, sinon je m'en rappellerais.

– Quand vous avez traversé la cour avec votre Fenwick pour aller d'un magasin à l'autre, vous n'avez rien remarqué non plus ?

Ahmed malmenait son bonnet entre ses mains.

– J'ai vu les copains habituels, mais personne d'autre.

– Réfléchissez bien...

– Attendez, dit-il en se tapant sur la cuisse. Si !... Je me rappelle maintenant, j'ai vu de loin le mécano, Michel Petrod. Je m'en souviens parce qu'en démarrant, il a dérapé sur une plaque de neige avec sa 306 et il avait du mal à repartir. J'étais sur le point d'aller le pousser mais il a pu s'en tirer tout seul.

– Vous êtes sûr que c'était lui ?

– Bien sûr, je le connais, c'est notre délégué. C'était sa voiture... Même qu'il m'a vu et m'a fait un signe de la main. Je l'ai bien reconnu à son bonnet rouge habituel.

– Vous vous souvenez de l'heure ?

Ahmed se passa la main sur le front et secoua la tête.

– Non, ça je peux pas dire. En tout cas, c'était pendant que je débarrassais le fond du magasin, sinon je n'aurais pas été dehors. Ou bien pendant que je rentrais les nouveaux « flamme ». Ah ! Je ne sais plus...

– Dites-moi franchement : que pensiez-vous de monsieur Verdoux ?

Ahmed fut surpris par la question et regarda Quentin d'un air étonné.

– Verdoux ? J'en pensais rien. C'était le patron...

Quentin avait des scrupules à bousculer Ahmed car il ne réagissait pas comme on pourrait l'imaginer d'un coupable. Mais le policier avait conscience que son impression relevait plus de l'intuition que de la certitude. Sans doute, Ledran saurait-il mieux déceler des failles éventuelles.

– Je vous remercie. Je pense que mon collègue vous interrogera un peu plus tard, car il n'est pas là en ce moment.

Quentin sortit sur les talons d'Ahmed et alla directement au labo. En le voyant arriver dans son bureau, Guardac plaisanta :

– Votre juge a une allure de moniteur de ski. Vous le connaissiez ?

– Non, pas du tout.

Quentin était tendu, ce qui n'échappa pas à Guardac. Quand le policier referma la porte derrière lui, l'ingénieur comprit que leur entretien allait prendre une tournure particulière.

– Il y a un problème ? demanda-t-il.

– Peut-être, cela dépend de vous…

– De moi ?

Guardac se contracta et son sourire s'effaça. Il posa son stylo et croisa les bras.

– Vous m'aviez bien dit, commença Quentin qu'au moment des faits, c'est-à-dire la nuit de la mort de Verdoux, vous étiez dans les Landes…

– Oui, effectivement, je vous ai dit ça.

– Vous pouvez me le confirmer par écrit ?

L'ingénieur était crispé. Son regard exprimait la détresse. Il fit une petite grimace et dit à voix base :

– Non ! Mais ce n'est pas ce que vous pourriez croire.

– Que pourrais-je croire ? Pour l'instant, je cherche à établir des faits. Je vous pose donc clairement la question. Où étiez-vous la semaine dernière et tout particulièrement mercredi et jeudi ?

– Lundi et mardi, j'étais effectivement dans notre usine des Landes, à côté de Morcenx. Je devais y rester toute la semaine pour faire des essais sur un nouveau panneau destiné au bâtiment. Mais il y a eu un contretemps. Nous devions utiliser une nouvelle colle qui aurait dû arriver le lundi. J'avais tout préparé, mais le camion qui venait d'Allemagne a eu un accident retardant la livraison d'une semaine. Le mardi, j'ai donc décidé de rentrer en passant par Toulouse où j'ai un vieil oncle. C'est chez lui que j'ai dormi le soir.

– Vous vous déplacez toujours en voiture ?

– Non, mais cette fois-là, je n'avais pas le choix. Je devais ramener des échantillons. J'ai passé la journée du mercredi chez mon oncle et je suis reparti le jeudi vers midi après un coup de téléphone à ma femme qui m'a appris le drame. J'étais à Berthonex le jeudi soir.

– Pourquoi m'avoir laissé croire que vous étiez dans les Landes ?

Guardac se passa la main dans la barbe et hocha la tête. Son embarras était réel.

– Pourquoi ? Je sais que c'est puéril puisque je n'ai rien à voir dans la mort de Verdoux, mais j'ai dit cela spontanément aux gendarmes et ensuite, je me suis retrouvé prisonnier de mon mensonge.

– Un mensonge bien inutile !

– C'est vrai, mais étant donné mes relations exécrables avec Verdoux, j'ai aussitôt réalisé que si la maréchaussée avait appris que je pouvais être ici, j'aurais automatiquement été suspecté. Verdoux a quand même été retrouvé dans mon atelier, n'oublions pas ça…

– Pourtant, à ce moment-là, il n'était pas encore question de meurtre.

– Au début, personne n'en savait rien. J'ignorais tout des circonstances. Une mort aussi insolite ne peut que laisser planer le mystère…

– Quand je suis arrivé, il s'agissait d'un accident. Rien ne vous obligeait à me mentir.

– Vous avez raison, mais je vous le répète, j'étais coincé. En changeant de version, j'aurais automatiquement attiré l'attention sur moi.

– Peut-être, mais moins que maintenant.

– Que voulez-vous dire ?

– Vous l'avez dit vous-même. Vos relations avec la victime étaient exécrables,
vous pouviez matériellement être ici au
moment du meurtre et, en plus, vous
connaissiez parfaitement les lieux. Je
vous laisse conclure...

Guardac se prit la tête dans les mains.

– C'est incroyable... Il me causera des
ennuis même après sa mort !

– En dehors de votre oncle, quelqu'un
pourrait-il témoigner que vous n'étiez
pas à Berthonex dans la nuit de mercredi
à jeudi ?

Guardac semblait effondré. Il n'entendit pas la question de Quentin qui dut la
répéter.

– Je ne sais pas, dit-il enfin. Je n'ai pas
bougé de chez lui.

– Vous avez conscience que vous êtes
désormais le suspect principal ?

– Non ! s'écria-t-il, vous n'allez pas
imaginer ça ?

– Donnez-moi des éléments pour
changer d'avis.

– Demandez à mon oncle !

– Je le ferai, mais son témoignage ne sera pas suffisant. Avez-vous mangé quelque part en route ou vu quelqu'un qui pourrait témoigner ?

– J'ai mangé dans un self sur l'autoroute, qui s'en souviendra ?

– Vous avez pris l'autoroute ?

– Oui.

– Alors vous devez avoir les tickets de péage...

Le visage de Guardac s'éclaira.

– Mais bien sûr !

Il bondit jusqu'à son anorak accroché au portemanteau pour y prendre son portefeuille. Il cherchait ces fameux tickets, mais ses mains tremblaient.

– C'est pas vrai..., balbutia-t-il. Où sont-ils donc ?

Il était affolé et fouillait à présent ses poches. Il ouvrit son attaché-case et en sortit des dossiers...

– Je me suis arrêté pour faire une pause avant de venir ici, peut-être ai-je mis les tickets là par mégarde... Pourvu que je ne les aie pas perdus...

– Calmez-vous, conseilla Quentin. Je ne vais pas vous arrêter ce soir, mais je vous conseille de les retrouver ou de me

proposer une preuve valable. Dites-moi !
Le nom de Sidi Bleda vous dit quelque
chose ?

– Sidi Bleda ? Non ! Ce nom me fait
penser à l'Algérie, mais je n'y suis jamais
allé. Pourquoi cette question ?

– Je vous le dirai plus tard... peut-être.

– Qu'allez-vous faire à présent ?

– Je ne sais pas. Je vais en parler au
commissaire. Vous me mettez dans un
fichu embarras. Il va de soi que vous
restez à Berthonex. En aucun cas, vous
ne devez vous éloigner. Est-ce bien
clair ?

En ressortant, Quentin vit la voiture
de Gradenne sur le parking. Il se dépê-
cha de rejoindre Ledran pour savoir ce
qu'il avait pu apprendre.

– Tu avais raison, cette femme n'est
pas ordinaire.

– Vous avez pu en tirer quelque
chose ?

– Pas vraiment. Elle a du répondant.
J'ai lancé l'hameçon Petrod, mais elle n'y
a pas mordu.

– Vous lui avez demandé ce qu'elle
était allée faire samedi ?

– Je n'ai pas posé la question aussi
directement, mais elle m'a dit exactement ce qu'avait imaginé Gradenne.

– C'est-à-dire ?

– Elle avait ressenti le besoin de
retourner à des endroits où elle aimait
aller avec son mari. Une sorte de pèlerinage, pour commencer son deuil. Je dois
dire que c'est plausible.

– Finalement, elle connaît Petrod ou
pas ?

– Ce nom semblait lui être inconnu.
Elle m'a demandé qui il était. Je n'ai pas
été entièrement convaincu car, étant
donné que son mari avait maille à partir
avec le syndicat, je suis surpris qu'il n'ait
pas au moins prononcé son nom devant
elle...

– Donc, nous n'avons pas avancé...

– J'ai eu une impression bizarre,
comme toi. C'est indéfinissable... Je n'ai
guère fait mieux que toi. J'ai quand
même appris quelque chose...

– Ah ! je savais bien qu'en vous demandant de la voir...

– Je lui ai demandé comment elle
voyait son avenir. Je n'ai fait aucune
allusion à la fortune que les Renseigne-

ments nous ont révélée. Elle m'a
répondu qu'elle pensait ouvrir un commerce. Elle m'a parlé d'une parfumerie à
Bordeaux. Histoire de s'occuper, m'a-t-
elle dit. Elle m'a alors confié que son
mari avait souscrit une assurance sur la
vie et qu'elle devrait recevoir au moins
deux cent mille euros.

– Fichtre, il y a de quoi voir l'avenir !
s'écria Quentin.

– Je ne suis pas très étonné, cela
confirme que Verdoux avait conscience
de prendre des risques avec ses trafics.
C'est un point qu'il faut mettre à son
actif. Il ne laisse pas sa femme dans le
besoin.

– Certes, mais cela peut aussi la rendre
suspecte... Deux cent mille euros, il y a
de quoi donner des idées !

– C'est vrai. Si c'était le cas, ce serait
diabolique !

– Je souhaiterais à présent que vous
entendiez Ahmed. Je ne vous dis rien
pour ne pas vous influencer, mais j'aimerais avoir votre avis.

– Volontiers, où est-il ?

– Il habite dans un des bungalows installés par *Polybois*.

Quentin demanda que l'on aille chercher Ahmed, puis retourna dans son
bureau et, par le téléphone interne,
convoqua Pierre Wasser. C'était un
mécanicien de l'équipe d'entretien. Sur
la liste du personnel, deux personnes
portaient le même nom de famille :
Pierre et David Wasser.

À peine cinq minutes plus tard, un
homme dans la cinquantaine, grand,
bien bâti, blond aux yeux bleus, frappa à
la porte.

– Bonjour, asseyez-vous, dit calmement Quentin.

Pierre Wasser avait le visage fermé.
Quentin ne s'en étonna pas. Depuis son
arrivée et surtout depuis le cambriolage,
chacun dans l'usine avait la mine défaite.
Il posa les questions de routine pour
faire connaissance. Depuis quand était-il
chez *Polybois* ? Qu'y faisait-il ? Pierre
répondait sans rechigner. Il n'était pas
expansif. Ses réponses étaient succinctes
mais précises. Quentin sentit que c'était
quelqu'un d'énergique. Peut-être était-il
un peu paysan, de cette sorte d'hommes
rudes à la tâche et attachés à leur
Franche-Comté ?

– Michel Petrod est bien dans votre service ?

– Michel ? Bien sûr. C'est un bon copain. Nous travaillons ensemble.

– Il est aussi votre délégué syndical, je crois.

– Oui, nous avons confiance en lui. Il a du punch.

– Estimez-vous qu'un syndicat était nécessaire chez *Polybois* ?

– Ah ! Oui alors ! Depuis que…

– Depuis que Verdoux est arrivé ?

– C'est ça !… D'autres ont dû vous le dire…

– Finalement, vous ne regrettez pas la disparition de votre patron…

– Pas du tout !

Pierre avait répondu avec véhémence du fond du cœur. Quentin en fut impressionné. Il regarda Wasser bien en face et lui conseilla calmement :

– Soyez prudent dans vos paroles. Il a peut-être été assassiné et vous exprimez de l'hostilité à son égard, voire de la haine. Que dois-je en penser ?

– Je ne peux pas dire le contraire de ce que je ressens. Vous avez le droit de me suspecter, mais si vous soupçonnez tous ceux qui ne l'aimaient pas, vous n'êtes pas au bout de votre liste.

– À propos de Michel Petrod... ne devait-il pas revenir ce matin ?

– C'est exact, ce n'est pas dans son habitude de s'absenter. En ce moment, on aurait besoin de lui parce qu'on a peur que le siège ne profite des derniers événements pour fermer l'usine. Il en était déjà question avant...

– Comment s'y prenait-il pour défendre le personnel ?

– Il parlait au patron à notre place et puis il nous remontait le moral et nous conseillait.

– Par exemple ?

– En novembre, il a demandé une revalorisation de nos salaires. La vie augmente, mais nos payes n'ont pas évolué depuis un an.

– Que lui a répondu Verdoux ?

– Il lui a ri au nez et a ajouté que ceux qui n'étaient pas satisfaits étaient libres de partir.

– Comment le personnel a-t-il pris ça ?

– Tout le monde était furieux. Les gars ont alors refusé de travailler dans ces conditions. Ils ont fait grève. L'usine a été occupée, et Michel a eu même du mal à calmer ceux qui devenaient violents. Il a réussi à nous convaincre de reprendre le travail après deux jours.

– Il n'était pas favorable à la grève ? N'était-il pas votre défenseur ?

– Si, mais il était lucide sur la situation, et il avait raison. À cette époque-là, en fin d'année, les commandes avaient baissé et les magasins étaient pleins à craquer. On ne savait plus où mettre les panneaux. Cette grève aurait arrangé Verdoux. Michel s'était même demandé s'il ne l'avait pas provoquée.

– Pourquoi ?

– Mais parce que comme ça, il n'avait plus à nous payer. De toute façon, il aurait été obligé d'arrêter la production.

– Comment cela s'est-il passé ensuite ?

– Quand on a repris le travail, le patron était bien embarrassé. Il a bel et bien été contraint de cesser de produire et, pour occuper le personnel, il a organisé une semaine de maintenance qui n'était prévue que pour février. Il a aussi invité ceux qui avaient des congés en retard à les prendre.

– Pourquoi Petrod n'a pas alors pris les siens ?

– Ce n'était pas possible pour lui parce que tous les mécanos sont occupés quand il y a des arrêts de production pour maintenance. C'est logique qu'il ait pris ses congés plus tard.

– Êtes-vous au courant de possibles échanges entre Petrod et Verdoux sur l'Algérie ?

Wasser sourit et haussa les sourcils comme si Quentin avait dit une plaisanterie.

– Vous savez quelque chose ? demanda Wasser.

– Non, puisque je vous le demande.

– On a dû vous dire que Verdoux se vantait de ses exploits militaires…

– Oui, en effet.

– Petrod lui aussi avait fait la guerre d'Algérie, d'ailleurs, ils étaient à peu près du même âge. La seule différence, c'est que Michel avait été « appelé ». Ils ne se sont pas rencontrés là-bas, mais ils ne partageaient pas du tout les mêmes idées. Michel, c'est un calme, un pacifiste. Il n'a rien dit au début, mais un jour, il a explosé et a remis le patron à sa place. Il lui a dit que les « événements » d'Algérie étaient finis depuis longtemps et que le personnel de l'usine n'était pas un bataillon d'Afrique. J'étais témoin ce jour-là. J'ai bien cru qu'ils allaient se battre.

– Que s'est-il passé ?

– Nous avons réussi à calmer Michel, et l'autre a filé. Depuis ce jour, Verdoux évitait de passer à l'atelier.

– Une dernière question. Où étiez-vous dans la nuit de mercredi à jeudi de la semaine dernière ?

– Ah ! je comprends ! J'étais dans mon lit et je dormais. Je pense que je ne devais pas être le seul.

– Vous êtes marié ?

– Oui, j'ai aussi deux grands fils et une fille et je vais bientôt être grand-père.

– David Wasser est-il de votre famille ?

– Oui, bien sûr, c'est mon frère. Je l'ai fait entrer à *Polybois* il y a six ans, après la mort de sa femme qui a succombé à un cancer. Il est plus jeune que moi et il vit quasiment avec nous. Je lui ai aménagé un petit studio dans la maison. Il est indépendant, mais il partage souvent notre repas. Nous nous entendons très bien.

– Je vous remercie… Eh bien ! Envoyez-moi votre frère s'il est encore là. Sinon, demandez à un autre collègue de venir.

Quentin sortit dans le couloir et s'approcha de la porte de la salle de réunion. Il entendait Ahmed parler. Cinq minutes à peine plus tard, un homme se présenta.

– Vous vouliez me voir ? demanda-t-il.

– Quel est votre nom ?

– Je suis David Wasser.

Quentin le regarda, surpris. Il ne ressemblait pas à son frère. Hormis quelques cheveux blancs, il était aussi brun que l'autre était blond, de taille moyenne et le teint hâlé. Avec ses petites lunettes rondes, il avait l'allure d'un intellectuel. Quentin se garda bien de faire la moindre remarque car il ignorait tout de cette famille. Avaient-ils une mère ou un père différents ? David était timide et réservé, contrairement à son frère. Il parlait doucement et semblait sur la défensive. Dans l'usine, c'était lui le spécialiste en hydraulique. Il semblait vouer à son frère une grande admiration et lui était reconnaissant de l'avoir aidé à entrer chez *Polybois*. Il avait un langage précis et, contrairement aux autres membres du personnel que Quentin avait entendus, il s'exprimait dans un français plutôt élégant. Le lieutenant sentait qu'il avait affaire à un homme fin et réfléchi, et ne savait pas comment s'y prendre pour l'interroger ; aussi, il improvisa :

– Vous connaissez Michel Petrod ?

– Bien sûr !

– Vous saviez qu'il s'était querellé avec votre directeur ?

– Mon frère m'en a parlé. Je n'étais pas là quand ça s'est passé.

– Vous avez discuté avec Verdoux ?

– Une fois ou deux. Il ne venait pas souvent à l'atelier. Nous n'avions pas directement affaire à lui, ce qui ne l'empêchait pas de critiquer...

– Quand avez-vous vu Michel Petrod pour la dernière fois ?

– Jusqu'à ce qu'il prenne ses congés, on se voyait tous les jours.

– J'aimerais savoir à quelle heure vous l'avez vu mercredi dernier...

– Je ne saurais vous dire. On se côtoyait tout le temps, si bien que l'on n'y faisait pas attention.

– Il n'a pas dit où il allait ?

– Non ! Je ne savais même pas qu'il voulait prendre des vacances.

Il n'y avait aucune raison de prolonger l'interrogatoire. David était sympathique et on sentait chez lui une certaine fragilité. Après son départ, Quentin alla voir Ledran qu'il trouva seul, occupé à mettre de l'ordre dans ses notes.

– Alors ? demanda-t-il, comment avez-vous trouvé Ahmed ?

Ledran posa son stylo et s'assura que la porte était bien fermée.

– Ce n'est pas un méchant bougre, il avait l'air affolé comme s'il s'attendait à une catastrophe.

– Avec moi aussi. Croyez-vous qu'il sache quelque chose ?

– Difficile d'être catégorique. Il comprend très bien la situation. Je trouve même qu'il est assez fin, pour quelqu'un qui vit dans un bungalow au milieu des bois et qui ne doit pas avoir beaucoup fréquenté l'école.

– C'est aussi mon avis.

– Cela dit, il faut se méfier de l'eau qui dort. Sans le bousculer, je l'ai quand même cuisiné un peu. Mais dès que je lui ai parlé de la nuit tragique, il s'est mis sur la défensive...

– Et à propos de Sidi Bleda ?

– J'ai abordé le sujet plusieurs fois, mais il ne réagit pas à ce nom. Je n'ai pas insisté parce que j'ai compris qu'il s'étonnait que je lui reparle de ce village.

– J'aimerais bien savoir qui a envoyé ces copies d'articles à Verdoux !

– Et Guardac, tu es allé voir ?

– Oui ! Il a en effet quitté l'usine des Landes le mardi soir, plus tôt qu'il l'avait d'abord prétendu. Il pouvait donc matériellement être ici dans la nuit de mercredi à jeudi. Il affirme être passé chez un oncle à Toulouse.

– Pourquoi ne pas l'avoir dit ?

– À cause de ses mauvaises relations avec Verdoux. Quand il a su que l'autre avait été trouvé mort dans l'atelier-pilote, il a préféré se mettre hors de cause.

– Ce n'est pas malin. Qu'en penses-tu ?

– Il m'a pourtant presque convaincu. Je découvre chaque jour un peu plus combien il y avait ici un climat de haine contre Verdoux. Manifestement, plus d'un lui en voulait. En apprenant cette mort dont il ignorait les circonstances, Guardac pouvait s'imaginer que quelqu'un lui avait réglé son compte. Ce qui finalement s'est révélé vrai. Je ne lui ai pas caché qu'il devenait particulièrement suspect et qu'il avait intérêt à justifier son emploi du temps. Je crois bien que je lui ai fichu la trouille. Mais je dois vous quitter, quelqu'un m'attend.

Effectivement, un homme très corpulent, en bleu de travail, patientait dans le couloir. Pas très grand, le cheveu rare, rouge de figure, il avait une soixantaine d'années et ne devait pas être loin de la retraite.

– Entrez, je vous prie, proposa Quentin.

Gilles Desmarais était chaudronnier. Il disposait d'un petit atelier un peu à l'écart car il avait besoin d'espace pour son activité. Il expliqua à Quentin qu'avec les nombreux conduits de gros diamètre pour le transport pneumatique des copeaux qu'il fallait périodiquement remplacer tout comme les cyclones, il ne manquait pas d'ouvrage. Il parlait fort et était un peu dur d'oreille comme la plupart des chaudronniers.

Célibataire, il vivait avec sa mère et cultivait un grand jardin. Homme plutôt rustique, il devait être plus à son affaire dans la mise en forme de ses tôles que dans un salon. Il se tenait bien droit sur la chaise devant Quentin, les deux mains sur le bureau, des mains massives, garnies de callosités qui attestaient d'un travail manuel intense.

– Comment étaient vos relations avec Verdoux ?

– Je le voyais très peu, le moins possible. Je suis tout seul dans mon atelier et, quand il arrivait, je m'arrangeais pour entreprendre un travail bruyant. Dès qu'il m'entendait taper sur une tôle, il repartait.

– Comment le trouviez-vous ?

– Comme un patron ! Plus rapide à engueuler qu'à encourager.

– Vous connaissez bien Michel Petrod ?

– Bien sûr ! On se connaît depuis l'école primaire.

– Quand l'avez-vous vu pour la dernière fois ?

– Je crois que c'était le mercredi. Il devait voir le patron le soir.

– Vous savez pourquoi ?

– Il ne me l'a pas dit, mais je pense que c'était pour lui demander des congés. J'ai compris ça le lendemain quand j'ai su qu'il était en vacances.

– Que fait-il quand il ne travaille pas ?

– Oh ! lui, il est toujours dans les bois ou à la pêche. Il vit tout seul comme un homme libre. Sans trahir un grand secret, il a eu une vie sentimentale bien remplie, mais il ne s'est jamais fixé. Peut-être est-il avec une bonne amie ?

– Il n'a pas de famille ?

– Si, il a une sœur qui est mariée avec un éleveur en Auvergne. Il y va de temps en temps.

Quentin remercia Desmarais qui partit sans demander son reste. La nuit était tombée et le policier commençait à ressentir la fatigue des jours passés malgré l'arrivée de Ledran et les compliments de Gradenne. Il avait l'impression que la clé du mystère était à sa portée, mais il savait qu'il devait continuer à interroger tout le personnel pour ensuite comparer leurs emplois du temps. Dans cette région au climat rude qui avait subi les tourments de l'Histoire, il sentait les caractères bien trempés et les habitants imprégnés de cette énergie qu'ils retiraient de leurs terres, de leurs forêts, de leurs longs hivers, capables de garder des secrets. Un dicton lui revint en mémoire : « *Comtois, têtes de bois* ».

– J'ai envie de rentrer, pas toi ?

Quentin sursauta. Plongé dans ses pensées, il n'avait pas entendu venir Ledran.

– Vous avez raison. En voilà assez pour aujourd'hui, allons voir comment va notre commissaire.

– Tu ne pourrais pas te décider à me tutoyer ? Ne me dis pas que c'est à cause de notre différence d'âge. Cela me donne un coup de vieux.

– Je vais faire un effort, répondit Quentin en souriant.

Ils trouvèrent Gradenne dans le salon lisant le journal confortablement calé dans un fauteuil. Il semblait bien reposé et de bonne humeur.

– C'est toi, Bruchet, qui a tuyauté le journaliste de la *Dépêche comtoise* ? Je ne sais pas ce que tu lui as dit. Son article est tout simplement incompréhensible. Alors, il paraît que je suis la plaque tournante de l'enquête ? Je te remercie, je ne savais pas que j'avais joué un rôle aussi important. Et puis, tu aurais pu sourire pour la photo. Tu ressembles à un contrôleur des impôts.

– Vous allez bien, patron, vous serez d'attaque pour demain ?

– Je me suis ménagé pour ça. Je vous attendais pour l'apéro. Vous me raconterez vos découvertes de cet après-midi, et moi je vous dirai ce que Patsky a trouvé.

Quentin et Ledran s'installèrent à côté de lui et Moutiers apporta le Savagnin qui faisait maintenant office de traitement pour la grippe, accompagné d'une assiette garnie de tranches de saucisson et de petits morceaux de Comté avec une corbeille de pain de campagne.

– Ah ! Je me sens tout de suite beaucoup mieux, dit Gradenne en faisant claquer sa langue. À présent je vous écoute.

Chacun à son tour, les deux collègues racontèrent leurs entretiens. Le commissaire écoutait avec une grande concentration. Il avait bu son premier verre sans s'en rendre compte.

– Je me sens encore un peu faible, dit-il en clignant de l'œil, j'aurais encore besoin de fortifiant. Patron ? cria-t-il. Remettez-nous ça !

Quentin se sentait bien, peut-être un peu trop et, d'un signe de la main, fit comprendre à Gradenne qu'il craignait de dépasser ses limites s'il continuait à boire. Le commissaire d'un grand geste balaya ses scrupules et l'invita à prendre du bon temps.

– Je ne pousse pas au vice, Bruchet, mais il faut savoir se détendre. Il y a un temps pour tout. Pendant la journée, je vous invite à être sobre. Mais rien de tel qu'un bon vin du pays pour se rincer la cervelle et en extraire le maximum d'idées. Je sens que nous nous rapprochons de plus en plus du but. Si demain Petrod n'est pas revenu, je le fais rechercher. Son absence commence à être suspecte.

– Nous pourrions aussi perquisitionner son domicile, suggéra Quentin.

– C'est une idée, mais, pour l'instant, nous n'avons pas vraiment de bonne raison de le faire. J'en toucherai un mot au juge.

– Ce qui est troublant, poursuivit Ledran, c'est que les deux hommes ont eu des mots. Et comme par hasard, selon les témoignages, Petrod avait rendez-vous avec Verdoux le mercredi soir. Depuis, l'un est mort et l'autre a disparu.

– C'est à se demander, reprit Gradenne, s'il n'a pas demandé des jours de congé pour avoir le temps de prendre le large.

Quentin écoutait avec attention. Il sentait que peu à peu le cordial produisait ses effets. Un engourdissement très agréable l'envahissait et il se détendait. Bien qu'il disposât des mêmes éléments que ses collègues, il ne voyait pas l'affaire aussi simplement.

– Tu n'as pas l'air convaincu, Bruchet, lui demanda Gradenne qui avait remarqué son hésitation. Tu as une autre idée ?

– Je suis d'accord avec vous pour faire rechercher Petrod, mais...

– Mais ?...

– Je ne sais pas ! Je ne peux pas vous expliquer. Il y a tant de tensions dans cette usine que les coupables possibles sont trop nombreux. J'ai l'intime conviction que plusieurs sont au courant de faits importants et ne le disent pas. Nous devons interroger tout le personnel d'origine algérienne. Il y a assez d'éléments concrets pour examiner cette piste en priorité…

– Tu n'as pas tort, admit Gradenne. À présent, je vais vous dire ce qu'a trouvé Spatsky, je ne sais pas comment, mais je lui fais confiance. Il semblerait, je dis bien il semblerait, que Verdoux ait été un agent de la DGSE…

– La Direction Générale de la Sécurité Extérieure ? s'écria Quentin. Verdoux, une barbouze ?

– C'est bien ça. C'est même assez logique. Verdoux devait fréquenter des milieux plus ou moins clandestins, du genre groupuscules activistes, voire terroristes. Pour mieux les infiltrer, il se livrait à certains petits trafics sur lesquels l'État français fermait les yeux en échange de renseignements. Tout cela est à mettre au conditionnel parce qu'avec les services secrets, le secret est – en principe – de rigueur…

– C'est intéressant, murmura Ledran, mais cela ne fait que compliquer l'enquête…

Ils dînèrent gaiement et se séparèrent tard, en prévision d'une journée qu'ils prévoyaient laborieuse.

Chapitre Dix

Le lendemain, après un solide petit déjeuner, les trois policiers se répartirent les personnes à interroger.

– Dès que les « huiles » du siège pointeront leur nez, je m'occupe d'elles, dit Gradenne. Non seulement je n'ai pas l'intention de les ménager, mais encore je vais les asticoter sur les activités souterraines de Verdoux. Il est impossible qu'elles ne soient pas au courant.

Chatel, lui, était dans ses petits souliers car il ne savait pas à quelle sauce il allait être accommodé par ses supérieurs. Quentin obtint sans problème un local confortable dans lequel Gradenne pourrait entendre quelques témoins. Il allait entrer dans « son » bureau pour reprendre ses auditions quand il vit venir les deux frères Wasser, d'un pas résolu. En les revoyant côte à côte, il se

demanda encore comment ils pouvaient
être frères tellement ils étaient physi-
quement différents. Pierre, dans son rôle
d'aîné, était le plus hardi des deux.

– Nous souhaiterions vous parler, lieutenant.

– Tout de suite ?

– Oui, c'est très urgent.

Quentin fut surpris par tant de déter-
mination. Que pouvaient-ils donc avoir
de si important à lui dire ?

– Très bien ! Entrez.

Assis côte à côte, ils échangèrent un
bref regard et Pierre prit la parole.
David, sans doute rassuré par la présence de son aîné, était à présent plus à
l'aise et regardait Quentin bien en face.

– Nous avons quelque chose à vous
dire qui concerne Verdoux, commença
Pierre.

– Pourquoi ne pas me l'avoir dit hier ?
répliqua Quentin, un peu agacé.

– Ce n'est pas facile, intervint David. Je
vous ferai observer que nous venons
spontanément et de notre plein gré.

– C'est vrai, admit Quentin qui, au passage, fut surpris par l'aisance du plus
jeune. Poursuivez.

– Nous voudrions vous parler de Sidi Bleda, lança Pierre.

Aux oreilles du policier, le nom de ce village de Kabylie claqua comme un défi !

– Que savez-vous sur Sidi Bleda ?

Pierre s'accouda sur le bord du bureau et s'adressa à Quentin avec une mimique qui signifiait qu'il avait beaucoup à dire.

– Par où commencer ? soupira-t-il. Il faut d'abord que vous sachiez que nous ne sommes pas frères biologiques, c'est-à-dire que nous n'avons pas les mêmes parents. Cela ne nous empêche pas de nous sentir frères aussi bien que d'autres.

– Je suis né à Sidi Bleda, lança David. Le père de Pierre m'a adopté.

– Il était alors sous-officier dans l'armée française, reprit Pierre. Il faisait partie de ces rares militaires qui étaient pour la paix et la réconciliation. Il s'était engagé au lendemain de la guerre, motivé par un idéal. Alsacien et patriote, il avait fait la campagne d'Indochine où il avait servi sous les ordres de celui qui était encore le colonel de la Bollardière.

Ce qu'entendait Quentin lui rappelait la conversation qu'il avait eue quelques jours auparavant avec Gradenne.

– Ma mère et moi avions rejoint mon père en Algérie, continua Pierre. J'étais très jeune alors, et si j'ai encore en mémoire des images et même des odeurs de ce pays, en revanche, je n'ai aucun souvenir précis des événements. Pour les adultes, il n'était déjà pas toujours facile de comprendre ce qui se passait, alors pour un gamin... En outre, contrairement à Verdoux, Papa ne parlait que très rarement de ses activités dans l'armée, notamment à la maison. Cela ne l'a pas empêché de nous inculquer des valeurs fondamentales : le sens du bien et du mal, celui de l'honneur, de la dignité, du respect de la parole donnée... C'est d'ailleurs à cause de ces valeurs qu'il a quitté l'armée et est revenu en Alsace où nous avons grandi. Il n'avait pas honte d'avoir été militaire mais il ne s'en vantait pas. Je sentais qu'il avait au fond de son âme une blessure difficile à cicatriser. Je respectais ses réserves tout en espérant qu'une fois devenus adultes, il nous ferait des confidences à David et à moi.

– Vous parlez de lui comme s'il était…

– Hélas ! oui… Il nous a quittés en septembre dernier. Jusqu'au bout, j'avais gardé espoir qu'il nous révèle comment ses principes moraux avaient pu être compatibles avec son activité militaire. Par curiosité et par affection pour mon père, je me suis souvent penché sur les moments de l'Histoire qu'il avait vécus pour comprendre quel avait pu être son rôle. Nous avons eu quelques discussions très riches, mais trop rares. Il nous a cependant laissé sous forme de testament, une documentation considérable. C'est le plus bel héritage que nous pouvions recevoir, une confession d'une totale sincérité et un exemple d'humanité.

– Plus de dix cahiers remplis à la main, continua David, avec des dossiers complets, bien classés, des photos, des lettres, des articles de presse. Je pense qu'il attendait le bon moment pour nous parler de tout ça, mais il n'en a pas eu le temps.

– Quel rapport avec notre affaire ? demanda Quentin qui commençait cependant à comprendre.

– En Kabylie, reprit Pierre, le chemin de notre père a croisé celui de Verdoux. Nous ne l'avons su qu'en prenant connaissance de ces cahiers. Il était alors adjudant-chef dans une unité de logistique tandis que Verdoux commandait une section combattante. Celui-ci avait maille à partir avec ce qui était alors désigné sous le nom de rebelles. Après des semaines de revers, son unité devait redorer son blason. Une bonne revanche était nécessaire pour le moral des troupes ! En repassant par Sidi Bleda, le lieutenant Verdoux a prétexté la présence des terroristes et les a attaqués. En langage militaire, cela revenait à tirer sur tout ce qui bougeait, hommes, femmes, enfants, animaux... Ils appelaient cela un « nettoyage »...

– Il n'y eut qu'un seul rescapé, continua David, ce fut moi. Je savais que j'étais un enfant adopté, mais j'ignorais tout des circonstances.

– C'est notre père qui a découvert David, continua Pierre. Il est passé par Sidi Bleda juste après le carnage qui avait été rebaptisé « action de maintien de l'ordre ». Il a trouvé un petit garçon d'environ trois ans, qui errait en pleurant, pieds nus dans la campagne. Il l'a recueilli, l'a ramené à Alger et l'a confié à notre mère. La suite, vous la connaissez : il s'est démené pour adopter ce petit garçon qui est devenu mon frère. Il a rencontré des difficultés administratives, car Sidi Bleda n'avait même pas d'état civil, mais il les a surmontées.

Quentin savait désormais d'où venaient les articles de presse qui étaient parvenus à Verdoux.

– Comment votre père pouvait-il être sûr que c'était Verdoux le responsable de cette... comment dire... intervention... ?

– Que vous l'appeliez n'importe comment, cela ne changera rien. Ce fut un massacre gratuit. Chez les militaires, ce n'était pas un secret. Mon père a été très clair sur ce sujet et nous ne pouvons douter de son jugement. C'était l'époque des « corvées de bois ». Sous prétexte d'aller ramasser du bois, des soldats emmenaient des prisonniers algériens dans la nature et les abattaient froidement. Officiellement, la section de Verdoux avait été attaquée, mais aucune preuve ne fut apportée. Rien ne prouvait non plus que ce village abritait ou ravitaillait des rebelles. Cette bavure avait beaucoup choqué, mais l'affaire fut étouffée au nom de la raison d'État.

Quentin ne doutait pas de la sincérité du témoignage de ses deux interlocuteurs. Cependant, une question restait sans réponse. Quel rapport avec la mort de Verdoux ?

– Pourquoi lui avoir envoyé des coupures de presse ? Parce que c'était bien vous, n'est-ce pas ?

– Oui ! répondirent ensemble les deux frères.

Pierre continua seul.

– Pour répondre complètement à votre question, nous avons d'abord voulu tester Verdoux. Le premier article de presse relatait simplement les faits. Ici, nous avions tous entendu parler du projet *thana*. Le dossier avait été oublié à l'atelier par Mandrez qui devait faire des propositions d'investissements de machines. Je savais qu'il devait ensuite aller chez Verdoux. L'occasion était trop belle, un clin d'œil du destin.

– C'est moi qui ai glissé l'article au milieu des autres documents, dit David avec fierté.

– Mais où vouliez-vous en venir ?

– Je vous l'ai dit, répondit Pierre, nous voulions voir ses réactions. Nous l'avons surveillé discrètement et nous avons été fixés...

– Mais ensuite, pourquoi avoir continué ? Ce n'est pas une méthode très courageuse... c'est aussi lâche qu'une lettre anonyme...

– Vous auriez sans doute préféré que je le provoque en duel ? s'exclama Pierre. Ce que nous voulions, c'était l'intimider et lui faire comprendre qu'il n'était pas quitte et que quelque part, quelqu'un savait ce qu'il avait fait. Il n'était pas possible de l'attaquer de front, il s'en serait encore tiré...

– C'est aussi vous qui lui avez envoyé le cercueil ?

– Oui ! et nous aurions continué jusqu'à ce qu'il craque...

– Vous espériez quoi ? Qu'il se suicide ?

– Je ne sais pas, murmura David. Je voulais seulement que la mort de toute ma famille ne soit pas oubliée. Il aurait pu avoir des remords.

À ce moment, une idée traversa l'esprit de Quentin. Il se souvint d'une conversation qu'il avait eue la semaine précédente avec le commissaire et le chef

Courtay sur la cause du décès. Accident, meurtre ou suicide ? Or, il découvrait à présent que Verdoux avait sur la conscience des faits qui auraient pu le conduire au suicide. Le conditionnel dans ce cas s'imposait car il doutait que le personnage fût capable de remords, mais son meurtrier pouvait avoir eu l'idée de maquiller son crime en suicide et avoir été pris de court...

– Avez-vous parlé de tout ça à quelqu'un ? demanda-t-il vivement.

– Absolument à personne, répondit Pierre, pas même à ma femme.

– Donc, personne à part vous ici ne connaît cette sombre histoire de Sidi Bleda ?

– Personne !

Quentin était désarçonné. Il était impressionné par la droiture et la dignité des deux hommes et, dans le même temps, il prenait conscience qu'ils avaient un réel mobile pour éliminer Verdoux. Il pensa aussitôt que Gradenne avec son flair et son expérience pourrait détecter une éventuelle faille.

– Je souhaiterais que le commissaire vous interroge, dit-il. Ce que vous venez

de me dire est très important. Mais… je
ne comprends quand même pas ! Pourquoi venir me dire ça aujourd'hui ?

– C'est à cause d'Ahmed.

– Ahmed ?

– Oui, c'est un garçon charmant, courageux et honnête qui ne ferait pas de
mal à une mouche. Il a vite compris que
c'était à cause de lui que le meurtrier
avait pu sortir de l'atelier-pilote. Il s'est
culpabilisé car il a craint que vous le sus-
pectiez. Nous l'avons vu hier, son inquiétude nous a bouleversés. Il a peur d'être
expulsé. À l'heure actuelle, vous savez
comme moi qu'il ne fait pas bon être
étranger, surtout en provenance de certains pays…

– Il s'est plaint de moi ?

– Il ne s'est pas plaint à proprement
parler, nuança David, mais il n'a été pas
dupe. Il sent bien qu'il est soupçonné.
Par ailleurs, il ne voit pas pourquoi on le
questionne sur Sidi Bleda qu'il ne
connaît pas. C'est pour cette raison que
nous avons décidé de venir vous parler.
Nous en avons discuté, mon frère et moi,
une partie de la nuit. Nous ne voulons
pas qu'il soit accusé à tort. Il y a eu assez

de victimes innocentes. Si vous lui avez
parlé de Sidi Bleda, ce n'est pas par
hasard, c'est que vous avez découvert les
articles que nous avions transmis à Verdoux. Après Ahmed, vous auriez soupçonné tous les Algériens de l'usine.

– Comment pouvez-vous être aussi
sûrs de l'innocence d'Ahmed ?

– Parce que nous le connaissons. Ce
n'est pas lui qui a tué Verdoux. Cherchez
ailleurs, dit David d'une voix calme, sans
la moindre agressivité.

– Sur quoi repose votre certitude ?
D'après vous qui serait l'assassin ?

– Nous ignorons qui cela peut être,
reprit Pierre et si cela peut vous aider, ce
n'est ni David ni moi non plus. Nous ne
pouvons pas le prouver. Mais croyez-
vous que si nous étions coupables, nous
serions venus vous parler ?

Quentin était perplexe. Une chose était
sûre, les deux frères semblaient très liés
et ils avaient de bonnes raisons de vouloir se venger. Mais cette hypothèse son-
nait faux tellement la violence semblait
exclue de l'éducation que leur avait donnée leur père. Et, sincèrement, il ne parvenait pas à les imaginer dans des rôles

de meurtriers. Et si c'était justement ça l'astuce ? Il sentait en chacun d'eux une personnalité d'exception. Et si l'un des deux avait assouvi sa vengeance sans le dire à l'autre ? Dans ce cas lequel ? Pierre qui aurait vengé son frère en lui évitant de se salir les mains ? Ou David, qui aurait mûri son plan en cachette pour ne pas compromettre son aîné ?

– Excusez-moi, je reviens dans un instant, avertit Quentin en sortant.

Il aurait voulu discuter immédiatement de ces faits nouveaux avec Gradenne. Malheureusement, en approchant du local où celui-ci se trouvait, il entendit des éclats de voix et reconnut celle de Lambard en train de s'emporter. Il sourit intérieurement et imagina que cette fois ce serait au tour du commissaire de lui souhaiter un « *Bon retour !* ». Il revint vers les deux frères qui attendaient calmement en silence.

– Le commissaire n'est pas disponible. Veuillez signer votre déposition et ne vous trompez pas de main ! Vous pouvez retourner à votre travail, mais ne vous éloignez pas. Je souhaite qu'il vous entende très vite.

Nerveux, Quentin ne se sentait plus la force nécessaire pour continuer ses interrogatoires. Il se vêtit et alla marcher pour s'éclaircir les idées. Le froid était vif et un vent glacial lui fouetta le visage au moment où il emprunta le petit chemin qui lui était devenu familier. Il passa mentalement en revue tous ceux qui pourraient être coupables : Guardac, Petrod, Ahmed, madame Verdoux, Pierre et David Wasser ? Il réalisait que plus il avançait dans l'enquête, plus les suspects se multipliaient. La victime avait généré tellement de tensions dans cette usine que le basculement dans la violence était inévitable. Mais qui était passé à l'acte ? Qui était complice de qui ? Qui et pourquoi ?

Sous un ciel bas et sombre, une petite neige fine balayée par le vent tourbillonnait au ras du sol le contraignit à retourner à l'usine où il pourrait reprendre ses interrogatoires.

Il avait établi avec beaucoup de soin un tableau indiquant les positions des uns et des autres lors de la nuit tragique. En recoupant les divers témoignages, il comptait reconstituer les emplois du temps à la minute près. Il entendit encore trois autres membres de l'équipe d'entretien. Il était presque midi quand Ledran frappa à sa porte.

– Sais-tu que Gradenne est toujours occupé avec les « huiles » ? dit-il en souriant. J'espère qu'il les fait mijoter. Je commence à avoir faim et je me demande si nous devons l'attendre.

– J'aurais bien aimé le voir car j'ai recueilli des informations capitales.

Quentin lui relata alors ce que les frères Wasser lui avaient avoué.

– Je partage ton avis, dit Ledran. Il faut les interroger à nouveau. Ou bien ils ont dit vrai et ils ne sont pas dans le coup du meurtre, ou bien…

– Ou bien ?

– Il se pourrait, ainsi que tu le supposes, qu'ils soient mouillés et comptent attirer notre sympathie sur eux, en espérant créer un rideau de fumée pour mieux écarter les soupçons. Ce serait très audacieux et subtil de leur part.

– S'ils sont coupables, ils finiront pas se couper, même s'ils sont malins.

– Pas sûr ! La haine est capable de transformer les hommes. C'est un

ciment puissant pour souder les solidari-
tés. Dans ma carrière, j'ai rencontré des
situations très étranges.

– Cela ne résout pas le problème du
déjeuner !

– Tu as raison, je vais aller voir.

Quelques minutes plus tard, Ledran
revint avec un grand sourire.

– Figure-toi que les « huiles », qui sont
venues à trois, semblent tellement prendre de plaisir avec Gradenne qu'ils vont
l'inviter à déjeuner. Nous pouvons donc
y aller sans lui.

La neige à présent tombait drue. Et en
retournant à l'hôtel, Quentin dut allumer
les phares alors qu'il n'était que midi.
Pendant le repas, ils échangèrent leurs
impressions sur les différentes auditions,
puis ils en arrivèrent à parler du juge.

– C'est vrai qu'il n'a pas le look habituel de l'emploi, dit Quentin. Je n'en ai
pas encore vu beaucoup, mais je me les
imagine plutôt avec des lunettes et une
petite barbiche blanche, l'air grave et la
démarche solennelle.

– Et, bien entendu, avec la Légion
d'honneur ! plaisanta Ledran.

Le déjeuner les avait détendus et lorsqu'ils repartirent, le ciel était toujours sombre. Vers trois heures, Gradenne demanda à les voir. Comme ils étaient libres, ils se regroupèrent « chez » Ledran dans la salle de réunion.

– Voilà, dit Gradenne en arborant un grand sourire. Je viens de siffler la fin de la partie et je les ai renvoyés au vestiaire. Compte tenu des éléments dont je disposais, c'est moi qui avais les meilleures cartes. J'y suis allé au bluff et cela a marché. Ils ont reconnu que Verdoux travaillait pour sa « patrie ». Quelle métaphore ! Quand je les poussais un peu trop dans leurs retranchements, ils s'abritaient très vite derrière le Secret défense. À défaut d'avouer, ils ne pouvaient pas mieux me répondre.

– Qui était présent ? demanda Quentin.

– Il y avait les deux que tu connais, Lambard et Borranzo et un autre, le directeur général, un certain Jean-Paul Legros, le plus redoutable. Il ne parlait pas beaucoup, mais il avait une finesse de jugement remarquable. Il saisissait

instantanément les situations et antici-
pait même mes questions.

– Un ancien de « La Royale » lui aussi ?

– Non, je penserais plutôt à un poly-
technicien qui serait passé par la Direction de l'armement…

– Encore du beau linge qui sent la
poudre, murmura Quentin.

– Finalement, soupira Ledran, nous
n'avons pas de preuve formelle. Mais tu
as la confirmation de ce que nous suppo-
sions, même si cela ne nous avance pas
beaucoup pour l'enquête.

– Il y a pire, dit Gradenne à voix basse.
« On » m'a bien fait comprendre que
cette affaire, dans la mesure où elle frô-
lait des secteurs sensibles, pourrait être
retirée à la PJ. La menace était à peine
voilée.

– Secret défense ?

– Tu as tout compris. Il nous faut donc
accélérer la manœuvre tant que nous
avons les manettes en main.

– À mon tour de vous en dire plus,
reprit Quentin.

Il raconta alors au commissaire ce
qu'il avait appris le matin.

– Eh bien ! Voilà du concret ! Tu as raison, je vais voir ces deux frères, mais séparément et sans tarder.

On frappa à l'extérieur.

– Entrez ! dit Gradenne d'une voix de stentor.

L'hôtesse d'accueil entrebâilla la porte et dit d'une voix intimidée :

– La gendarmerie souhaite voir le lieutenant Bruchet.

Quentin se leva, surpris, et la suivit. Il revint presque aussitôt une grosse enveloppe à la main.

– Le chef Courtay est venu en personne me communiquer le rapport d'autopsie qu'ils viennent de recevoir par Internet. Il ne savait pas que vous étiez là. Il vous envoie ses salutations.

– Très bien ! J'avais demandé qu'il leur soit transmis, coupa Gradenne. Il n'a rien dit d'autre ?

– Il m'a juste soufflé à voix basse qu'il y avait jeté un coup d'œil et que nous allions avoir des surprises.

– Ils y auront mis le temps, ronchonna Gradenne. Voyons cela !

Il lut rapidement et, au fur et à mesure qu'il dévorait le texte, ses yeux s'arrondissaient. Il fit une grimace et replongea dans la lecture. Ses deux collègues ne soufflaient mot et l'observaient, guettant ses réactions et cherchant à décrypter sur son visage, les raisons de son étonnement.

– Ça alors, lâcha-t-il enfin, voilà qui remet les compteurs à zéro !

– Explique-toi ! demanda Ledran.

– Je vais résumer : le cadavre qu'ils ont autopsié a eu la tête et les mains écrasées *post mortem*.

– Quoi ? s'exclamèrent en même temps Quentin et Ledran.

– Le plus invraisemblable et le plus déroutant, c'est que la mort remonterait à plusieurs heures avant l'écrasement.

– C'est impossible ! cria presque Ledran.

– Un autre détail amusant si tant est que l'on puisse trouver de l'humour dans ce genre de texte, les chaussures que portait la victime sont du 45. Or, d'après les légistes, le cadavre examiné ne dépasserait pas la pointure 42. Cela veut dire que Verdoux nageait dans ses pompes !

Ledran n'avait pas partagé l'humour macabre de Gradenne. Il hocha la tête, incrédule.

– Je n'y comprends plus rien.

– Il nous faut reprendre tous les témoignages, intervint Gradenne. Imaginez une sorte de conspiration pour éliminer Verdoux. Pour que ce scénario soit crédible, il faut retrouver le rôle respectif de chacun.

– Mais alors, murmura Quentin, complètement abasourdi, cela voudrait donc dire que le contremaître Francis Mollex a menti et qu'Ahmed a menti aussi... puisqu'ils affirment l'avoir vu vivant. Il pourrait y avoir d'autres complices, mais ces deux-là au moins seraient impliqués...

– Cette hypothèse paraît la plus vraisemblable parmi toutes celles que nous avons examinées. Elle les remplace même. Je ne crois pas à un complot de toute l'usine, mais à celui d'un petit groupe bien déterminé, du genre commando justicier, pourquoi pas ? Non ? Tu as l'air sceptique, Bruchet ! Qu'est-ce qu'il t'arrive ?

Quentin s'était levé et, la tête dans les mains, arpentait l'espace entre les fenêtres et la grande table. Il était si intensément concentré que si le tonnerre avait grondé, il ne l'aurait pas entendu. Il regarda au-dehors, consulta sa montre et se tourna vers ses collègues. Il venait de prendre une décision aussi soudaine que grave.

– Je n'ai pas le temps de vous expliquer, dit-il très perturbé. Il faut faire vite. Excusez-moi, je dois prendre votre voiture, patron.

Il s'esquiva en courant sans entendre la réponse de Gradenne.

– Où vas-tu, Bruchet ? Ne fais pas de bêtise. Toute décision prise dans la précipitation est mauvaise, tu devrais te méfier de tes impulsions...

Mais Quentin s'était déjà éloigné. Dans la voiture qu'il conduisait rapidement en dépit de la neige qui tombait, il se répétait, inquiet : « *Pourvu qu'il ne soit pas trop tard...* ».

Il repassa en trombe à l'hôtel et se rua sur Moutiers pour lui redemander son équipement de ski.

– Donnez-moi aussi plusieurs lampes de poche, demanda-t-il au brave hôtelier qui ne comprenait pas du tout les raisons d'une promenade à ski sous la neige à la nuit tombante.

Dans le stock de matériel, Quentin saisit d'instinct une lampe frontale. Il repassa ensuite dans sa chambre pour se changer. Il aurait dû aller récupérer son arme de service à la gendarmerie, mais il n'en avait pas le temps. Un instant plus tard, il roulait aussi vite que l'état de la route le lui permettait vers la cabane de Petrod. Il avait parfaitement en mémoire l'itinéraire, mais eut un peu de mal à retrouver l'entrée du sentier, car la neige avait modifié le paysage. La lumière était faible mais il y voyait assez pour diriger ses skis. Il transpirait abondamment, en dépit du froid. Très vite il jugea prudent d'allumer sa frontale pour contourner les barres rocheuses, le point le plus délicat du parcours. Ensuite, il choisit de se guider à la luminosité du chemin qui, grâce à la neige, apparaissait plus clair que les fourrés.

Sans faire de bruit et à pied, il se rapprocha de la masse sombre de la cabane. Il alluma une première lampe et la coinça dans la neige. Il fit de même avec les deux autres à différents endroits. Enfin, il se décida à intervenir en criant :

– Police ! Ouvrez et montrez-vous ! Vous êtes cerné.

Il vit alors s'éteindre un rai de lumière. Comme réponse, il n'entendait que le souffle du vent. Il allait renouveler son appel quand un premier coup de feu claqua. La lampe posée dans le chemin s'éteignit instantanément en explosant. Il se jeta à plat ventre. Deux autres coups partirent mais n'atteignirent alors qu'une seule des lampes restantes.

– Rendez-vous ! Vous n'avez aucune chance, cria à nouveau Quentin qui s'était mis à l'abri derrière un sapin.

Une balle siffla au-dessus de lui. En même temps, il vit une lumière passer très rapidement et entendit le bruit du glissement caractéristique des skis sur la neige.

« *Bigre, il est coriace* », bougonna-t-il en comprenant que sa proie s'échappait.

– Arrêtez ! le somma à nouveau Quentin.

Mais l'autre avait filé. Quentin apercevait la lueur qui s'éloignait. « *Le combat n'est pas égal,* soupira-t-il. *Moi je n'ai pas envie de le tuer tandis que lui n'a pas les mêmes scrupules, sans compter que je ne suis pas armé* ». Il rechaussa rapidement ses skis et décida de garder sa frontale allumée tant qu'il poursuivrait celle du fuyard. Mais bientôt, il ne vit plus de halo devant lui et dut se résoudre à éteindre sa lampe pour ne pas servir de cible. Il descendait lentement et le plus silencieusement possible face au vent. Il était tendu et avançait courbé, s'attendant d'un moment à l'autre à recevoir un coup de feu. Après une dizaine de minutes de cette chasse à l'homme un peu spéciale, il entendit un cri suivi d'un bruit de branches brisées, puis plus rien. Était-ce une ruse ? Il avança alors très doucement, presque à tâtons, tous ses sens en alerte. À l'approche de la zone des barres rocheuses, il hésita à s'engager sans visibilité.

Le froid commençait à le saisir. « *Je ne vais quand même pas geler sur place* », songea-t-il. Il se résolut à rallumer sa frontale et prit soin de la fixer à un bâton de ski qu'il tenait à bout de bras. Il examina d'abord les traces de celui qui avait pu chuter ou bien qui se cachait, et se laissa glisser doucement en les suivant. Était-il imprudent ? Il se rassura en pensant que l'autre pouvait difficilement se mettre à l'affût sur ce terrain escarpé. Après un virage serré qui contournait un rocher, la trace très nette d'un dérapage continuait tout droit vers une pente raide. Il dirigea le faisceau de sa lampe le mieux qu'il put et tenta de voir en dessous. Mais la visibilité n'était pas bonne à cause de la neige qui tombait et qui l'éblouissait.

La forme de la trace laissait peu de doute. Le skieur qu'il poursuivait avait bien dû faire une chute. Quentin déchaussa ses skis et replaça la lampe sur son bonnet. Il finit par renoncer à descendre. Il devait rejoindre au plus tôt sa voiture pour demander du renfort. Dans la précipitation, il avait oublié de prendre son portable.

À l'approche d'une bourgade, il s'arrêta à la première maison où il vit de la lumière. Il frappa à la porte et une femme âgée lui ouvrit avec beaucoup de précautions.

– Bonsoir, madame. Excusez-moi de vous déranger mais je suis officier de police et j'ai besoin de téléphoner.

Fort heureusement, sa carte de police lui permit de rassurer la vieille dame qui ne comprenait pas pourquoi un skieur pouvait faire irruption chez elle la nuit.

La femme, manifestement intriguée et sans doute pas entièrement en confiance, le fit néanmoins entrer et indiqua l'emplacement du téléphone dans le vestibule. Quentin appela la gendarmerie, expliqua en quelques mots son aventure, et demanda de mettre en œuvre les moyens nécessaires pour venir rechercher le skieur accidenté dont il ne connaissait pas l'identité. Il avait là-dessus sa petite idée. Il suggéra au gendarme de prévenir le commissaire.

Après avoir remercié la femme, il regagna la route principale pour attendre les renforts à l'embranchement de la voie secondaire. Environ une heure plus tard, il aperçut des gyrophares jaunes et d'autres bleus perçant l'écran opaque des flocons de neige. Quentin sortit faire des signes. La voiture de gendarmerie s'arrêta et le chef Courtay en descendit accompagné de Ledran. Le camion des pompiers stoppa derrière.

– En voilà des façons de filer sans rien nous expliquer, plaisanta Ledran.

– Je te donnerai tous les détails plus tard mais, en attendant, on a un client important à aller récupérer.

– Sais-tu au moins qui c'est ?

– Pas avec certitude. Il nous faut être prudent car il m'a tiré dessus avant de faire une mauvaise chute. Nous devrons progresser à pied, informa Quentin. Le lieu n'est pas facile d'accès et, cette nuit, on n'y voit pas grand-chose.

À pied, ou plutôt en raquettes, car il était le seul à avoir des skis. Ledran qui n'était pas équipé, jugea préférable d'attendre avec le troisième gendarme dans leur voiture munie d'un émetteur radio.

Un petit groupe constitué de deux militaires et de quatre pompiers se mit en marche derrière Quentin. Ces derniers portaient une civière repliée, du matériel de secours, des cordes et des éclairages puissants. Ils avançaient lentement et péniblement.

Au niveau du passage délicat, grâce à leurs lampes, ils purent emprunter la voie la plus sûre. Mais la neige avait recouvert les traces. Quentin indiqua la direction probable de la chute du skieur. Un pompier déroula une longue corde accrochée à un arbre, puis éclairé par deux lampes fixées à son casque, se laissa glisser, équipé d'un sac à dos contenant le matériel de premier secours. Les autres le regardèrent descendre jusqu'à ce qu'ils ne voient plus qu'une lueur lointaine à travers un rideau de flocons de neige.

Deux secousses sur la corde signalèrent qu'il était arrivé et qu'un autre pompier pouvait s'engager pour le rejoindre. Le lieutenant qui avait en main un Walkie-Talkie tentait de communiquer avec le premier.

– Le terrain est bon. Je cherche dans le sens de la pente.

– S'il est tombé là, je pense qu'il n'a pas dû s'arranger, dit laconiquement Courtay.

Lui aussi était muni d'un Walkie-Talkie. Il était en train d'envoyer un message au gendarme resté en faction sur la route, quand le poste du lieutenant grésilla :

– Nous l'avons trouvé. Il est accroché dans un arbre. Il est mort, aucun doute, envoyez la civière.

– Qui est-ce ? demanda Courtay.

– Impossible de vous le dire. Son visage est en sang. À mon avis, il s'est brisé le cou.

Un troisième pompier chargea la civière sur son dos à l'aide d'un harnais et entama la descente. Il utilisait une seconde corde fixée à un arbre comme la première afin de pouvoir hisser le corps de la victime.

Les hommes qui étaient restés en haut, avaient tous le regard rivé vers le bas de la pente. Ils avaient éteint leur lampe de façon à mieux distinguer un éventuel signal lumineux de la part des sauveteurs.

– On vient enfin d'arrimer le corps, dit une voix dans le récepteur, vous pouvez commencer à tirer la civière.

Le lieutenant de pompier et un gendarme aidés de Quentin s'arc-boutèrent sur une souche au bord de la pente pour la hisser. De temps en temps, celle-ci se coinçait et les pompiers du bas devaient débloquer leur charge. Les lampes permettaient de suivre la progression.

Lorsque le corps fut remonté, Courtay éclaira le visage du mort et s'exclama :

– Mais c'est...

– Vous le reconnaissez ? demanda Quentin.

– Pardi ! C'est Verdoux lui-même ! Vous y comprenez quelque chose ? demanda-t-il en se tournant vers Quentin.

– J'en étais quasiment sûr, affirma fièrement celui-ci.

– Depuis quand le savez-vous ?

– En prenant connaissance du rapport d'autopsie, en un éclair, j'ai tout compris ! Je vous expliquerai, rassurez-vous.

Le chef Courtay était stupéfait et donnait l'impression d'être dépassé.

– De toute ma carrière, je n'ai jamais vu une chose pareille, balbutiait-il. Je l'ai vu mort, la tête écrasée.

Avec son passager supplémentaire, le groupe rejoignit Ledran qui attendait sur la route.

– J'ai hâte de comprendre, dit-il à Quentin. Mais je te félicite. Si j'ai bien compris, il s'est tué lui-même dans la chute.

Ledran rentra avec Quentin dans la voiture du commissaire.

– Tel que je connais Gradenne, il va te féliciter et ensuite t'engueuler, à moins que ce ne soit l'inverse.

– Je m'y attends, répondit Quentin. J'ai bouclé l'enquête, mais j'ai foncé dans le brouillard sans en référer et ça, il ne va pas aimer…

– J'en ai bien peur. Je pense que quand j'étais jeune, j'aurais agi comme toi. Mais avec un peu plus de concertation, il aurait été possible de cerner sa baraque et de le cueillir.

– Pour ça, il aurait fallu expliquer, se justifier, demander des renforts, organiser une battue… Tu imagines le cirque ? Entre-temps, l'autre pouvait filer…

– Tu n'as pas tort. Tu pouvais même passer pour un farfelu.

En arrivant à Crampigny, les trois véhicules s'arrêtèrent devant la gendarmerie.

– Il fait meilleur ici, dit Courtay en se frottant les mains. À présent, que proposez-vous ?

– Je pense qu'il faut maintenant envoyer le corps à l'institut médico-légal. Sous le même nom, deux cadavres différents y auront été autopsiés !

Plus tard, Quentin et Ledran rejoignirent l'hôtel.

– Tu nous as foutu la trouille, gronda Gradenne. On n'a pas idée de faire cavalier seul de cette façon ! N'oublie pas que nous travaillons en équipe et que je n'aime pas les méthodes de cow-boy. Le juge sera de mon avis et tu vas te faire sonner les cloches.

Ledran regarda Quentin avec l'air de celui qui l'avait prévenu. Le visage de Gradenne était sévère et sa colère contenue n'était pas feinte. Cependant, il se détendit et peu à peu, un sourire éclaira son visage.

– Je suppose que ces émotions t'ont creusé. Nous ne t'avons pas attendu pour dîner mais nous te tiendrons compagnie pour l'apéro. Moutiers a gentiment accepté de t'attendre. Patron, servez-nous de votre Savagnin, celui qui nous réconcilie avec la vie !

Quentin ne fut pas fâché de s'attabler devant une assiette de charcuterie bien garnie. Il avait raison de reprendre des forces avant de s'exposer au tir nourri des questions du commissaire.

– On t'a vu partir comme si tu avais le feu aux chausses… Qu'est-ce qui t'a mis la puce à l'oreille ?

– Dans le rapport d'autopsie, c'est la pointure des chaussures du mort. Tout est devenu simple, d'un seul coup ! J'ai compris qu'il s'agissait d'une mise en scène pour faire croire à la mort de Verdoux. Donc c'est qu'il était toujours vivant et il y avait de grandes chances qu'il soit l'assassin de son « double ».

– Quand je pense que l'on est allé jusqu'à évoquer un règlement de comptes entre espions... Tu commences bien ta carrière, gamin ! s'exclama Gradenne.

– En partant de l'idée que Verdoux n'était pas la victime mais le meurtrier, les pièces principales du puzzle se sont emboîtées, et j'ai vu l'affaire sous un nouveau jour. Il reste encore des points à éclairer. Sur certains d'entre eux, j'ai déjà quelques idées...

– Quels points ?

– D'abord l'identité de celui qui a été retrouvé sous la presse, répliqua Quentin la bouche pleine. Là, j'ai une quasi-certitude. Ensuite le cambriolage pour lequel j'ai aussi ma petite idée et puis... l'auteur de la lettre anonyme.

Le commissaire regarda Ledran qui fit la grimace de celui qui n'avait pas tout saisi.

– Moi, je comprends vite à condition que l'on m'explique longtemps et dans l'ordre. J'aimerais que tu reprennes tout depuis le début, demanda Gradenne en faisant signe à l'hôtelier de leur resservir à boire.

Ledran lui tapa sur l'épaule.

– Tu fais l'âne pour avoir du son. Je pense que tu souhaites surtout vérifier si tes conclusions collent avec celles du lieutenant pour éventuellement le prendre en défaut sur des détails.

Gradenne haussa les épaules en buvant, tandis que Bruchet attaquait la potée jurassienne que Moutiers avait fait mijoter depuis plusieurs jours. La bouche pleine, il devait en même temps satisfaire la curiosité de son chef.

– Mais laisse-le manger, reprit Ledran devant l'impatience du commissaire.

Tout en dégustant ce repas de terroir, Quentin commença à donner sa version des événements, en concordance avec les faits.

– Nous savons que Verdoux, ancien officier de paras en Algérie, a quitté l'armée discrètement à la fin de la guerre. Selon le témoignage écrit et posthume de l'adjudant Wasser, il aurait commis quelques bavures, notamment à Sidi Bleda. J'emploie le terme bavure pour simplifier. Il est ensuite entré chez *Polybois* où il est monté en grade, et a atterri ici comme directeur. Il faut noter au passage que dans ses précédents postes, il se faisait copieusement haïr au point de devoir quitter les lieux. Par ailleurs, tout laisse croire qu'il avait une activité occulte et que sa fonction chez *Polybois* lui servait de couverture.

– Je te suis, approuva Gradenne.

– À cause d'une gestion musclée du personnel, un syndicat se met en place dont le leader Michel Petrod, un ancien « appelé » en Algérie, se prend de querelle avec Verdoux au sujet de cette guerre. À la mort du père de Pierre et de David Wasser, ses enfants découvrent le rôle joué par Verdoux à Sidi Bleda. Les deux frères, aux intentions plus ou moins claires, décident de l'intimider en lui faisant comprendre qu'il est découvert, avant de le menacer de façon anonyme.

– Jusque-là, ça colle parfaitement avec les témoignages.

– Selon moi, Verdoux a eu peur et a décidé de disparaître. Nous avons tout lieu de penser que ses actions clandestines dans le commerce – pour ne pas dire le trafic – d'armes, lui ont permis d'amasser un joli magot. Même si cette origine reste à prouver, sa fortune n'est pas tombée du ciel. Il a pu croire que les menaces qu'il avait reçues venaient de Petrod. En le tuant et en faisant passer son corps pour le sien, il faisait d'une pierre deux coups : il neutralisait une menace et il disparaissait.

– Et en plus, compléta Ledran, le couple empochait l'assurance-vie.

– Qu'il ait eu ou non la preuve que les menaces venaient bien de Petrod, ne change pas grand-chose, intervint Gradenne. Le principal tort de la victime a été d'avoir un gabarit semblable à celui de Verdoux.

– Exactement, patron, j'allais y venir…

– Tu vois bien que tu n'es pas si bête et que ton cerveau n'a pas souffert de ton atteinte grippale ni d'avoir dépassé la dose prescrite de Savagnin, glissa Ledran au commissaire…

– Je continue. Au détail près que Petrod avait des cheveux longs et ceux de Verdoux étaient rasés. Voilà le scénario que j'ai imaginé : Verdoux convoque Petrod à l'atelier-pilote. Guardac est dans les Landes et les techniciens ne font pas d'heures supplémentaires. Vers dix-huit heures, il attend sa victime, la tue d'un bon coup sur la tête et lui tond le crâne. Il emporte les cheveux, mais quelques mèches restent sur place. Je les retrouverai plus tard. Il dissimule le corps dans un placard et pour cela déménage les échantillons qui s'y trouvent. Il avait prémédité son coup en modifiant au dernier moment le planning de fabrication, de façon à ce que les panneaux « flamme » soient manutentionnés dans la nuit, afin qu'il puisse sortir.

– C'est diabolique, murmura Ledran.

– Vers onze heures, il revient à l'usine et se montre à plusieurs personnes. Il prétend faire des essais et met bien l'installation en route. En réalité, il en profite pour habiller le cadavre avec ses propres vêtements et placer sur lui des objets lui appartenant de façon à faciliter l'identification et à nous induire en erreur. Il n'hésite pas à sacrifier une belle montre, mais n'avait pas prévu que Petrod chaussait du 42.

– Cela a failli marcher, s'amusa Gradenne. Les gendarmes sont tombés dans
le panneau…, comme on dit dans cette
usine !

– Avec quand même des doutes, rectifia Ledran plus indulgent.

– Pour sortir, il porte ostensiblement
les vêtements de Petrod et notamment
son bonnet rouge. Il emprunte également sa voiture et c'est à ce moment-là
qu'Ahmed le voit de loin sans se douter
qu'en réalité c'est Verdoux qu'il aperçoit.

– Pour éviter toute identification formelle par ressemblance du visage ou
comparaison d'empreintes digitales, il
a écrasé la tête et les mains de Petrod
avec la presse, s'exclama Gradenne. Et
il lui a signé une demande de congé de
façon à ce que personne ne s'inquiète
de son absence pendant quelques jours.
Il devait connaître l'existence de sa
cabane, le fait qu'il y vivait tout seul, et
il a pensé avec raison que personne
n'irait le chercher là-haut, s'il s'y mettait à l'abri…

– Et au cas où personne n'aurait cru à
l'accident, c'est Petrod que l'on aurait
recherché…

– Mais alors, bondit Gradenne, sa femme est dans le coup !

– Il y a de fortes chances, répliqua Quentin. Souvenez-vous comme Courtay l'avait trouvée bizarre lorsqu'il était venu lui annoncer la mort de son mari. En plus, elle a été très contrariée quand j'ai parlé d'une autopsie qui identifierait le corps. Elle savait déjà que le cadavre n'était pas celui de son mari et qu'il fallait l'incinérer pour « consumer » tout indice. Complice, elle a dû aller visiter plusieurs fois son époux pour le ravitailler et le tenir au courant de l'évolution de l'enquête.

– Malheureusement pour elle, tu as eu l'œil, dit Ledran.

– Je suppose qu'il avait l'intention de se terrer encore quelques jours, le temps que l'affaire se tasse. Puis il aurait filé à l'étranger avec de faux papiers obtenus grâce à ses relations. Peut-être visait-il l'Argentine ? avança Quentin en se souvenant des brochures aperçues lors de sa visite chez madame Verdoux.

– Je partage ton raisonnement, mais je pense qu'il a dû s'affoler. Tout ça sent un peu l'improvisation, commenta Gradenne.

– À présent, revenons au cambriolage. Je vous rappelle qu'il n'y a pas eu d'effraction. Et qui avait les clés ? Qui savait que le week-end, le coffre serait garni ? Tant qu'à disparaître, autant partir avec le maximum de « biscuits ». En perquisitionnant chez lui ou dans la cabane, je suis presque sûr que nous trouverons le butin.

– De même que nous devrions trouver la voiture de Petrod quelque part, dans le même secteur, continua Gradenne.

– J'ai demandé aux gendarmes et aux pompiers le secret absolu. Madame Verdoux ne doit rien savoir jusqu'à demain. Nous irons la prévenir à l'aube. Cette fois-ci, elle devrait craquer.

Gradenne ne disait rien, plongé dans ses réflexions, et Ledran tournait son verre vide dans ses mains. Quentin piochait dans une corbeille de noix que Moutiers venait d'apporter.

– Je te félicite, Bruchet, dit enfin le commissaire. Je n'aurais pas fait mieux. Tu viens de faire tes preuves haut la main. Voilà une affaire rondement menée. Je vais prévenir le juge dès ce soir.

Les trois policiers passèrent au salon où ils prirent un bon café. L'hôtelier, après leur avoir servi un dernier verre de vin jaune, partit se coucher, laissant les trois compères discuter jusqu'à une heure avancée. Les deux anciens ne ménageaient pas leurs compliments à leur nouvelle recrue, et ce n'était pas de la basse flatterie. Quentin le savait. Cela n'empêcha pas Gradenne de le mettre en garde pour l'avenir.

– Tout est bien qui finit bien ! Mais imagine seulement qu'il t'ait descendu dans le bois. Hein ? Tous tes efforts auraient été réduits à néant. Tu aurais été bien avancé ! Et nous aussi !

– Je comprends, admit Quentin.

– Je pense à une mission pour toi qui devrait te convenir. Tu parles anglais ?

– Je me débrouille, répondit-il, son œil manifestant soudain un vif intérêt.

– Je vais y réfléchir. Il se pourrait que je t'envoie un moment chez les Britiches. Cela ne t'ennuie pas ?

– Pas du tout ! s'enthousiasma Quentin.

– Je repense aux activités de Verdoux, ajouta pensivement Ledran, nous ne saurons jamais avec certitude s'il était ou

non un agent des Services de Renseignements extérieurs, mais il semble bien
qu'il ait été couvert en haut lieu. Je
m'étonne qu'un tel personnage puisse
être mêlé aux affaires de l'État.

– Que veux-tu, mon pauvre ami, dans
certains cas, la fin justifie les moyens. Il
nous est bien arrivé de fermer parfois les
yeux en échange d'informations... Les
indicateurs et les espions ne sont pas des
enfants de chœur... Je pense néanmoins
que ce Verdoux n'est pas représentatif de
l'armée. Celle-ci a compté des hommes
d'honneur comme le général de la Bollardière et l'adjudant Wasser, mais aussi
bien d'autres qui resteront anonymes.

– Je n'ai pas été un témoin direct de la
guerre d'Algérie, intervint Quentin, mais
d'après tout ce que j'ai lu, la France n'a
pas toujours été très correcte !

– À la guerre comme à la guerre...
Ceux d'en face n'étaient pas des tendres
non plus ! Les pratiques de la chevalerie
sont loin derrière nous... Crois-tu qu'il
soit digne de bombarder des villes et de
tuer des civils innocents ? Tu es jeune et
idéaliste. C'est bien, mais tu risques de
perdre tes illusions...

– Je m'en faisais sur les espions, dit Quentin. J'imaginais des hommes cultivés, parlant plusieurs langues et distingués...

– Comme James Bond ? plaisanta Ledran.

– Peut-être, répondit Quentin en souriant. À chacun son cinéma ou ses caricatures !

– Je connais plusieurs agents de nos services, reprit Gradenne. Certains sont bien, mais, par définition, les meilleurs passent inaperçus. Tout dépend du milieu qu'ils doivent infiltrer. À certains, on donnerait le bon Dieu sans confession pourvu qu'ils inspirent confiance. Ah ! je me sens bien, dit le commissaire en s'étirant. Dommage que l'aubergiste ne nous ait pas laissé la bouteille. J'aurais bien repris encore un verre.

Quentin regarda le commissaire du coin de l'œil et se demanda s'il n'avait pas un peu trop bu.

– En parlant d'espion, j'en ai rencontré un il y a peu de temps, ou plutôt une, car il y a aussi des femmes dans cette compagnie. Elle n'a pas vraiment la tête de l'emploi ! Il s'agit d'une personne charmante qui pourrait être ma fille. Pour approcher des militaires anglais, elle a une couverture astucieuse. Elle est supposée faire des études. Qui se méfierait d'elle ? Il faudra que je te la présente, Bruchet. Je suis sûr qu'elle te plairait.

– Je pense que nous ferions mieux d'aller nous reposer, préféra dire Quentin qui commençait à se sentir mal à l'aise.

– Tu as raison, acquiesça Gradenne en se levant lourdement.

Il titubait et dut se rattraper au dossier du fauteuil.

– Je vais quand même te dire son nom, dit-il en mettant sa main sur l'épaule de Quentin. Elle s'appelle Chloé Nartier.

– Comment ? cria Quentin. Quel nom avez-vous dit ? Vous avez bu décidément ?

– Chloé Nartier. Pourquoi ce nom vous met dans un tel état ? Je sais qu'il n'est jamais prudent de parler de ces gens-là, mais nous sommes entre nous…

Quentin était abasourdi.

– Et vous dites que c'est une espionne ?

C'est alors que le visage de Gradenne se transforma. Il sembla dégrisé d'un

seul coup et partit d'un grand éclat de
rire au grand étonnement de Ledran et
de Quentin. Il se tenait les côtes et
retomba sur son fauteuil.

– Ah ! si tu voyais ta tête. Je t'ai bien
eu, hein ?

– Mais comment connaissez-vous ?…

– Assieds-toi, je vais te raconter sinon tu
ne dormiras pas bien. Tu as vraiment cru
que j'étais bourré ? Vois-tu, il m'en faut
davantage. J'y suis allé au bluff et, encore
une fois ça a marché. Hier, tu as donné
une lettre à Moutiers pour qu'il la poste.

– Oui, c'est vrai.

– Quand le facteur est passé, c'est
madame Moutiers qui était là. Or, tu
t'étais trompé dans l'affranchissement.
Elle a cru que c'était moi qui avais écrit
la lettre et elle est venue me voir. J'ai
aussitôt compris que tu en étais l'auteur
et j'ai deviné de quoi il s'agissait.
Rassure-toi, j'ai complété l'affranchissement. Le reste était facile à deviner. Un
nom français avec pour adresse une université anglaise… Ce soir, le nom m'est
revenu et je t'ai fait cette petite farce. Je
t'avais d'abord sondé un peu en te parlant d'une mission outre-Manche.

Quentin était confus et se sentait ridicule.

– Mais alors, il n'y a pas de mission pour moi ?

– Cela dépend. Tu pourrais par exemple prendre une semaine de congé à Pâques pour aller goûter le pudding. Mais tu peux toujours refuser...

Les trois policiers rirent de bon cœur. Ledran avoua qu'il avait gobé le canular en s'étonnant néanmoins que Gradenne lâche aussi facilement des informations secrètes. Quentin, lui, fut soulagé après avoir eu très peur.

*
*   *

Le butin du cambriolage fut retrouvé le lendemain dans la cave des Verdoux. Des analyses complémentaires confirmèrent que « le cadavre de la presse » était bien celui de Michel Petrod. Plus tard, l'épouse fut jugée et condamnée.

L'auteur de la lettre anonyme ne fut jamais formellement identifié, même si Quentin continuait à avoir sa petite idée...

L'ingénieur Chatel fut nommé directeur de l'usine de Berthonex, mais celle-
ci ferma un an plus tard.

Du même auteur

L'assassin n'aimait pas les livres
Atelier de presse, 2007

PRIX DU QUAI DES ORFÈVRES

Le Prix du Quai des Orfèvres, fondé en 1946 par Jacques Catineau, est destiné à couronner chaque année le meilleur manuscrit d'un roman policier inédit, œuvre présentée par un écrivain de langue française.

• Le montant du prix est de 777 euros, remis à l'auteur le jour de la proclamation du résultat par M. le Préfet de police. Le manuscrit retenu est publié, dans l'année, par la Librairie Arthème Fayard, le contrat d'auteur garantissant un tirage minimal de 50 000 exemplaires.

• Le jury du Prix du Quai des Orfèvres, placé sous la présidence effective du Directeur de la Police Judiciaire, est composé de personnalités remplissant des fonctions ou ayant eu une activité leur permettant de porter un jugement sur les œuvres soumises à leur appréciation.

• Toute personne désirant participer au Prix du Quai des Orfèvres peut en demander le règlement à :
Secrétariat général du Prix du Quai des Orfèvres
36, quai des Orfèvres
75001 Paris

E-mail : prixduquaidesorfevres@gmail.com

La date de réception des manuscrits est fixée au plus tard au 15 avril de chaque année.

Photocomposition Nord Compo
Villeneuve-d'Ascq

Achevé d'imprimer en novembre 2010 en France sur Presse Offset par
Maury-Imprimeur - 45330 Malesherbes
N° d'imprimeur : 159603
36-17-0685-2/01
Dépôt légal : novembre 2010
Imprimé en France